# Blonde à forte poitrine

DU MÊME AUTEUR

*Thornytorinx*, Belfond, 2005
*Nous sommes cruels*, Stock, 2006
*Nous vieillirons ensemble*, Stock, 2008
*La Casati*, Stock, 2011
*Petits arrangements avec nos cœurs*, Stock, 2014

Camille de Peretti

# Blonde à forte poitrine

*roman*

Ouvrage publié sous la direction de
Delphine Mozin Santucci / Rasibus éditions

*Blonde à forte poitrine* est une œuvre de fiction. Le personnage principal de ce roman est certes inspiré d'une histoire vraie, mais les autres protagonistes de cette œuvre et leurs caractères sont le fruit de l'imagination de l'auteur.


ISBN : 978-2-36658-186-7

*À mon mari, qui préfère les brunes.*

*My whole life revolves around my breasts.*
*Everything I have is because of them.*

Anna Nicole Smith

## 1.

La fille pourrait lécher sa peau et s'en nourrir. L'odeur s'est imprégnée dans ses vêtements, dans ses cheveux blonds. La fille a beau se savonner les mains trente fois par jour, le bout de ses doigts sent. L'odeur est poisseuse, délicieusement rance. Elle vient se déposer au fond de la gorge de ceux qui franchissent la porte vitrée, les attire autant qu'elle les dégoûte. La fille les voit saliver, ils hésitent, leurs yeux s'attardent sur les quatre photos accrochées au-dessus de la caisse, puis leurs visages s'inclinent en direction de la vitrine qui étale ses croustillances dorées. Disposés sur des grilles en métal, certains morceaux gouttent encore, crépitants de l'huile bouillante qui fait frémir la panure par tous ses pores.

À l'arrière, dans la cuisine, des bulles remontent à la surface, *blop blop*, et, au fond des bacs, immergés dans cet or, s'entassent les ailes de poulet pointues, s'amoncellent les nuggets, les pilons et les cuisses. Les frites ont un bain spécial. Sur le rebord du meuble en inox trône la salière géante. La fille doit avoir un geste vigoureux quand elle répand la pluie de sel fin sur les frites trop blanches. *On pourra les refaire cuire, comme ça il n'y a pas de perte. Des frites bien cuites, si personne ne les mange tout de suite, elles sont bonnes à jeter !* M. Peterson est très sévère sur le sujet.

« Tu m'as bien compris, Vickie ? »

La fille est terrorisée à l'idée de laisser les paniers trop longtemps au fond des friteuses et de *rater*. Cela n'arrive pas souvent, car c'est Danny et son père qui sont postés en cuisine. Elle, la fille, elle est à la caisse et aussi en salle ; elle débarrasse les assiettes, ramasse les serviettes en papier tombées par terre, nettoie les tables avec un chiffon humide, passe le balai serpillière.

À la fermeture, Danny l'aide et retourne les chaises sur les tables. Alors, elle s'applique. L'odeur âcre de la Javel se mêle aux relents de graisse et elle a parfois des haut-le-cœur. Elle passe autour des pieds, en formant des huit, enfonce le balai dans le seau, appuie avec force sur le manche pour essorer et faire jaillir un liquide sableux et grisâtre, puis le replonge dans l'eau sale en tâchant de ne pas éclabousser ses chaussures. Les franges grises se transforment en un gros pinceau baveux. Danny la reluque quand elle se penche. Elle sait où se pose le regard des hommes. Elle agit lentement, avec une grâce naturelle, cambre la croupe et tord la tête du balai à pleines mains. La Javel attaque sa peau et la rougit, mais elle est prête à tout pour que l'odeur du poulet frit s'en aille.

La première fois qu'ils l'ont fait, c'était à l'arrière de la voiture du père de Danny, mais il la pelotait dans les coins depuis longtemps déjà. Il lui avait posé une main sur les fesses avant même qu'ils se soient embrassés. Maintenant qu'elle s'occupait de la fermeture, les choses s'étaient accélérées.

La fille est grande, un peu nonchalante, potelée, avec de belles cuisses fermes qu'on devine sous ses pantalons trop serrés. « La cuisson des frites, putain, merde, Vickie ! » Elle est plus distraite ces derniers temps. Elle regarde son ventre s'arrondir, et parle à bébé. Ce n'était pas prévu, mais on ne peut pas dire qu'elle regrette, ça non. Dès qu'elle a su qu'elle était enceinte, elle a désiré l'être. Beaucoup trop jeune, elle foutait sa vie en l'air, avait dit sa mère ; mais de quelle vie parlait-on ?

Depuis des années, la fille assistait, spectatrice, à son reflet se mouvant dans la glace, à son corps changer. À l'adolescence, ses tétons s'étaient durcis, ses seins avaient pointé sous ses tee-shirts, ses hanches s'étaient élargies, mais elle ne s'était jamais appartenu. Son corps avait souvent chaud, le sang lui montait aux joues, ses oreilles viraient au rouge violacé sans qu'elle puisse se l'expliquer ; parfois, des frissons lui parcouraient le dos.

Dès qu'ils la voient, les hommes sentent qu'il serait facile de profiter d'elle, de couper à la racine la belle plante grasse et fragile. Sa peau douce et laiteuse, ses cheveux blond cendré, tout en elle inspire un désir de domination. La fille réveille le tyran qui sommeille, donne l'impression à chacun qu'il pourrait la prendre. Elle est un trophée magnifique, un rêve, un grand chiffon de poupée qui ne sait pas dire non.

Bébé est la première chose à elle. La fille le nourrit, le fait grandir au creux de son ventre et trouve cela magique. Elle est faite pour la maternité, pour porter une autre âme que la sienne, avec douceur et joie. Bébé la rend forte, elle est devenue deux. Bébé a besoin d'elle, et elle lui en est intensément reconnaissante. Elle ne se confie pas au garçon, ne lui a pas dit que bébé est un *cadeau de Dieu*. Le garçon est gentil ; la plupart du temps, il joue avec son sexe et fait jaillir du sperme sur le nombril de la fille, comme un chien marque son territoire, comme un sale môme souille son plus beau jouet. La fille est si douce, si pleine, sa peau donne parfois l'impression au garçon de s'enfoncer dans un seau de crème. Alors, il oublie tout et jouit sans pouvoir se retenir. C'est un garçon très jeune, seize ans à peine. Il ne contrôle pas bien le machin qu'il a entre les jambes, et trois, peut-être quatre fois, ça s'est passé comme ça. La fille n'imaginait pas pouvoir tomber enceinte. Elle a suivi les cours de sciences naturelles au lycée et elle n'est pas stupide, elle ne se sentait simplement pas *concernée.*

Pourtant, quand le docteur lui a annoncé la nouvelle, elle n'a pas été surprise. Elle a compris la chose immédiatement, comme une évidence, et elle l'a accueillie avec bonheur. La fille est ressortie de l'immeuble gris, est montée dans la voiture de sa mère, qui l'attendait de l'autre côté de la rue – sa mère avait insisté pour prendre un rendez-vous chez le médecin, se doutait de quelque chose, Vickie ne faisait que dormir ces derniers temps –, et a simplement dit « j'attends un bébé, maman ». Elle n'a pas employé le mot « enceinte » car elle se représentait déjà l'enfant, rose et dodu et mignon et le sien.

La mère a poussé un profond soupir, tellement profond qu'il a fini dans un cri et qu'elle l'a traitée de traînée, de chienne en chaleur, de salope, et la fille n'écoutait pas car elle était concentrée à l'extrême pour parler à l'intérieur d'elle, pour parler à bébé et lui dire qu'elle n'avait pas eu le temps, entre le moment où elle avait quitté le cabinet et pris l'ascenseur, passé dans le hall et traversé la rue pour rejoindre sa mère, elle n'avait pas eu le temps de dire à bébé qui elle était, de *faire les présentations*. La mère continuait à gueuler et les insultes pleuvaient sur la fille, mais elle, elle écoutait à l'intérieur les pensées de bébé qui flottaient et venaient se déposer dans ses propres pensées.

« Et j'espère que tu te rends compte que tu peux faire tes valises, Vickie. Tu peux aller vivre chez celui qui t'a engrossée. » La mère avait une peur secrète que le père de Danny ait couché avec sa fille. Les hommes étaient tellement pervers. Et elle trouvait Danny si jeune, à peine sorti de l'enfance avec sa moustache de duvet ridicule.

La fille n'est pas une salope, elle a déjà eu des flirts poussés avec d'autres garçons, des mains et des langues baladeuses, mais Danny est le premier avec qui elle l'ait *vraiment fait*. Après le lycée, elle ne se sentait aucun don pour les études, aucune appétence pour aller s'asseoir sur les bancs de l'université et étudier, bon Dieu, quoi encore ? Elle n'avait jamais été une bonne élève. Si un professeur lui plaisait, elle était capable de se donner du mal, car elle était sensible, avait besoin qu'on l'aime et qu'on la félicite, mais elle relâchait vite ses efforts. Une flemme, une forme de lenteur l'envahissait, depuis l'adolescence, ses jambes lui faisaient mal, elle se sentait *étirée*.

Aujourd'hui, elle est plus grande que bon nombre de garçons de son âge, plus grande que Danny. Elle a parfois l'impression d'avoir été suspendue à un espalier, l'allongement de ses os et de ses membres l'a épuisée. De plus en plus, les hommes se retournent sur son passage, et sa mère, l'œil sévère, lui dit de se méfier. Maman avait eu une histoire terrible dans sa jeunesse, elle ne voulait pas qu'il arrive la même chose à sa fille. En revanche, si celle-ci l'a bien cherché, alors elle ne pourra s'en prendre qu'à elle-même.

La fille avait emménagé à Fairfield, avec sa mère et ses deux demi-frères, quand elle était encore une jeune enfant. De cette période, elle ne se rappelle pas grand-chose : la mère était triste, dévastée certainement. Qu'est-ce que ça changeait de ne plus avoir de père ? Le père était un homme immense, avec les larges mains de ceux qui travaillent dur, une ombre dans la nuit, un taciturne qui n'avait jamais donné de câlin ou de petit déjeuner, un étranger qui ronflait dans le lit de la mère. S'il n'y avait pas eu sa photo, la fille n'aurait pas su à quoi il ressemblait.

Un jour, tremblante, elle avait eu le courage de demander si elle pouvait le voir. Sa mère n'avait pas fait trente-six mystères. La fille avait regretté de ne pas le lui avoir réclamé plus tôt. C'était drôle, après toutes ces années où son seul souvenir se découpait comme une silhouette dans le noir, ces années où, à force, elle avait fini par associer son père à la Nuit, un être invisible à la lumière du jour, comme si c'était une possibilité *réelle*. Elle avait tant fouillé sa mémoire, tant cherché son visage en vain, elle l'avait imaginé, lui prêtant les traits de sa mère avec une barbe, ce qui était absurde, ou ses propres traits à elle, ce qui était déjà plus logique mais avait pour résultat un grand homme blond avec le visage d'une petite fille.

La mère avait marché jusqu'au buffet, ouvert un tiroir et tendu une photo. La fille l'avait immédiatement reconnu. « Ah, oui, c'est lui. » Elle n'avait plus eu besoin d'aller vérifier à quoi ressemblait son père, une fois lui avait suffi car c'était l'évidence même. Quel âge pouvait-elle avoir lorsqu'ils étaient arrivés à Fairfield ? Deux ans ? Trois ans ? Peut-être quatre. Elle croyait se souvenir de la tristesse colérique de sa mère. Sa mère était-elle déjà en colère quand leur père vivait encore avec eux ?

Fairfield est une petite ville de mille six cents habitants, et elle n'est différente en rien des autres petites villes de mille six cents habitants de l'État du Texas. On y coule des jours heureux et on s'y ennuie ferme.

Le restaurant du père de Danny vise une clientèle qui a faim et ne fait pas de manières. Il propose des frites et du poulet frit que M. Peterson achète congelés par paquets de dix kilos et stocke dans de grands congélateurs à l'arrière, à côté de ce qui lui sert de cuisine : deux éviers, trois placards et des étagères où il empile le sopalin, des seaux de sauces industrielles, des palettes de canettes de soda, des sacs de couverts en plastique, des montagnes d'assiettes en carton, et beaucoup de produits ménagers. Cette cuisine, pas très bien rangée, pas vraiment en désordre car on n'y cuisine pas, ouvre sur une vitrine en verre où, sur des grilles en métal, sont conservés au chaud les morceaux de poulet qui attendent preneur en égouttant leurs derniers relents d'huile à côté d'un bac rempli d'une pile de frites.

Les quelques tables de la salle sont en aluminium ; la fille doit veiller à ce que sur chacune se trouve le tube de moutarde, jaune vif, celui de ketchup, rouge sang, le sel, le poivre, la boîte en métal de serviettes en papier et un pot rempli de cure-dents. Pas de banquettes, juste des chaises avec une assise et un dossier en skaï noir. Contre le mur, un frigidaire avec des boissons non alcoolisées. Le reste de la décoration, affiches, miroirs, a entièrement été financé par diverses marques de soda dont les logos rutilent sur les murs blancs poisseux.

La fille était déjà venue, avec des copines du lycée le week-end ou encore avec sa mère et ses demi-frères. Elle prenait à emporter. Ils n'habitent qu'à quelques rues, et ce n'est pas un restaurant où l'on a envie de s'attarder. Elle connaissait Danny et son père depuis longtemps. Tout le monde se connaît à Fairfield. Danny est plus jeune qu'elle et lui n'a même pas été jusqu'en terminale, c'est pourquoi elle ne l'avait pas fréquenté jusque-là.

Quand elle a annoncé qu'elle ne comptait pas poursuivre ses études, sa mère n'a pas fait d'objections. Quelques jours plus tard, en passant devant le restaurant, ayant vu qu'ils cherchaient une serveuse, elle avait proposé sa fille. « Il n'y a pas de fainéants chez les Smith ! »

La fille avait été embauchée sur-le-champ, et elle était contente. Non pas qu'elle n'ait pas eu d'autre ambition que de récurer les tables et le sol de la friterie de Fairfield ; elle savait, en son for intérieur, que cela n'avait aucune espèce d'importance. Sa vie n'était pas là. Un peu comme elle avait toujours pensé que son corps ne lui appartenait pas, elle sentait que ce n'était pas elle mais une autre, un double présent qui plongeait les frites dans l'huile bouillante et passait la serpillière. La fille n'est pas prétentieuse. Contrairement à ce que les gens diraient après coup, elle n'avait aucune idée du destin qui l'attendait, elle ne « se prenait » pas « déjà pour la star de Fairfield », comme on l'a trop souvent entendu. Plus tard, les gens raconteraient n'importe quoi, pourvu qu'ils participent au scandale.

La fille s'extrayait de ce qui l'entourait avec une facilité déconcertante, et l'inverse lui demandait un effort immense. Elle s'interrogeait parfois : est-ce que les autres étaient comme elle ? Quand ils conduisaient leur voiture, allaient au bureau, grondaient leurs enfants, se disaient bonjour ? Les gens se sentaient-ils *à ce point étrangers* à ce qu'ils étaient en train de faire ? Les choses avaient changé avec bébé. Elle s'était peut-être imaginée actrice de cinéma ou chanteuse, comme toutes les jeunes filles de son âge ; il est assez banal de se rêver une vie pour accepter la sienne sans trop y prendre garde. Sa grossesse l'avait recentrée sur elle-même, enfin elle rêvait la réalité. Chaque instant, elle pensait à bébé.

M. Peterson jugeait Vickie brave fille, un peu timide. S'il l'avait vue plusieurs fois, il ne l'avait jamais remarquée. Elle était très grande. Elle était devenue très grande, mais elle avait un visage poupin, et il ne la trouvait pas particulièrement jolie. C'est quand elle était arrivée au restaurant le premier jour – peut-être avait-elle fait un effort vestimentaire ? ou s'était-elle maquillée ? le père de Danny ne faisait pas attention à ce genre de choses –, oui, s'il s'était posé la question simplement, car il n'aurait pas menti, le premier jour, il l'avait trouvée jolie. Il ne s'y attendait pas. Et puis elle souriait toujours, voulait bien faire, c'était agréable.

Parfois, elle semblait perdue, lointaine, et elle le déstabilisait. Oui, on pouvait employer le mot déstabiliser, parce qu'on n'aurait pas pu dire qu'il ressentait du désir pour une fille de dix-huit ans, une fille qui aurait pu être sa fille, il n'était pas un pervers. Oui, malgré lui, son regard s'attardait sur le balancement de ses hanches, sur la façon qu'elle avait de rouler du cul quand elle se penchait pour nettoyer les tables avec application. Elle se mordait la lèvre inférieure quand elle frottait une tache et il n'était pas un pervers, oui, mais il devait détourner les yeux de ces cuisses rondes.

Un jour, elle portait un chemisier en coton blanc presque transparent, le tissu était si fin qu'on pouvait voir son soutien-gorge et l'ombre des tétons qui pointaient sous la dentelle. Il avait failli lui dire de rentrer chez elle pour se changer et puis, merde, il n'en avait rien à foutre, ça attirerait le client. Ça aussi, il s'en était rendu compte, Vickie faisait venir du monde, oui, il s'en réjouissait et il détestait ça ; tous ces mecs qui laissaient traîner leurs yeux et mangeaient sur place alors qu'avant ils prenaient à emporter, ces mecs dégueulasses. Le père de Danny n'était pas dupe et il n'en avait rien à foutre, oui, mais le jour où elle portait le chemisier blanc, elle l'avait vraiment énervé, et elle avait de la chance de ne pas être sa fille, parce qu'alors il lui aurait collé une sacrée raclée.

La fille n'était pas une allumeuse pourtant. Du moins, c'était ce qu'il avait pensé au début. Il n'en était plus si sûr, avec ses airs de pas y toucher. Quand il la regardait travailler, elle ouvrait ses grands yeux bleus de poupée et restait comme interdite, et lui se sentait piégé, oui, et il n'avait rien fait de mal. Et puis elle était godiche, c'était quand même pas compliqué de surveiller deux friteuses en même temps, merde. Il la sortait de la cuisine et l'envoyait en salle. Elle disait « oui, monsieur Peterson ». Oui à tout ce qu'il lui demandait, elle s'exécutait avec la joie de la gamine qui espère qu'on lui donnera un bon point. Elle partait avec son chiffon mouillé et se penchait pour bien astiquer les plateaux, et les hommes attablés arrêtaient de mâcher leur poulet et restaient bouche bée. Ça l'exaspérait, alors il l'envoyait faire une course. « Oui, monsieur Peterson. »

Il avait bien vu ce qui se passait entre elle et son crétin de fils. Danny ne s'en était pas caché. Un môme de seize ans que ça chatouillait, oui. La fille n'était pas le genre à résister, pas effarouchée, une fille qui prêtait de bonnes intentions aux gens, qui aimait qu'on l'aime. Bien sûr, ça n'était pas de l'amour, Danny voulait juste qu'elle écarte les jambes, mais la fille ne voyait le mal nulle part, ou alors peut-être que tout lui était égal. On n'aurait pas pu la violer, oui, elle aurait toujours donné l'impression d'être consentante.

Et ce qui devait arriver arriva. Le père de Danny était furieux, pas surpris. Il n'en voulait pas à son fils, n'était pas jaloux, comment aurait-il pu l'être puisqu'il ne désirait pas la fille ? La fille aurait pu être sa fille, oui, merde. Et Danny n'y était pour rien, c'était sa faute à elle, il était jeune, c'était à la fille de faire attention. L'annonce de la grossesse avait rendu la chose réelle, le fait que son fils ait baisé la fille ; le fait que le père puisse s'imaginer la chose, son freluquet de fils avec ses jambes maigres qui s'asticotait sur cette blonde grasse et fraîche, l'acné de son fils contre les joues de pêche de la fille, et sa bite de gamin disparaissant entre les cuisses girondes, avait provoqué en lui un accès de colère noire. Il avait serré les poings à s'enfoncer les ongles dans les paumes. Le bébé n'était pas le problème, c'était la vision de son fils faisant des sauts de carpe sur la fille.

Le père de Danny avait encore durci son attitude à son égard. « Dépêche-toi de me débarrasser les assiettes, on va pas y passer la nuit ! », « oui, monsieur Peterson », et il avait fini par ne plus pouvoir la regarder sans qu'une tension aiguë lui fasse recroqueviller les doigts de pied dans ses chaussures.

Les choses s'étaient encore gâtées quand la fille avait emménagé chez eux. En baissant la tête, elle lui avait demandé « pardon, monsieur Peterson ». Au fond, on sentait qu'elle n'était pas sincère, elle s'en foutait, oui, peut-être ce soir-là, avec sa valise bourrée à craquer, elle semblait plus effrayée que d'habitude, mais elle restait confiante, ses grands yeux bleus détrempés implorants, elle savait qu'il ne la laisserait pas à la rue. Elle s'était installée dans la chambre de Danny, un lit simple pour son fils et cette perche. Il avait espéré qu'ils ne le feraient pas sous son toit, et il avait préféré sortir et aller boire des coups plutôt que de risquer de les entendre, car il ne sait pas de quoi il aurait été capable. Et chaque soir, depuis qu'elle vivait chez eux, il redoutait que le cri rauque de son imbécile de fils éjaculant dans la bouche de cette fille ne perce le silence de la maison endormie ou, pire, de percevoir un gémissement d'elle, ou, pire encore, simplement un bruit sourd comme un corps qui s'abat. Il regardait la télévision jusqu'à ce que les deux étourneaux soient endormis et, seulement, il montait se coucher.

La mère de la fille était pratiquante ; elle s'adoucit lorsqu'ils se marièrent à l'église évangélique de Fairfield. Cela rassura aussi le père de Danny, il n'aurait pas su dire pourquoi. Il ne croyait pas en Dieu, n'avait que faire du qu'en-dira-t-on et pas foutu les pieds dans une église depuis la mort de sa femme, trois ans plus tôt. Mais l'idée que les tourtereaux soient mariés, que ce soit officiel, que la fille appartenait désormais à son fils devant Dieu l'avait apaisé.

Le jour du mariage, boudinée dans une robe crème qui donnait l'impression que sa chair éclatait

– la fille avait beaucoup grossi ces derniers temps –, sa peau avait pris une teinte irisée et la sensualité qui émanait d'elle avait fait place à une forme de candeur virginale. Le père de Danny, qui n'était pas un homme naïf, merde, avait même pensé à l'Immaculée Conception en la voyant avec son ventre rond et son bouquet de marguerites. Elle lui avait paru touchante, elle lui avait embrassé les mains, « oh ! merci, merci, monsieur Peterson ».

Il avait espéré que les jeunes mariés iraient vivre chez la mère de la fille. La mégère avait refusé catégoriquement. Elle savait trop bien ce qu'un bébé voulait dire, elle en avait eu trois qu'elle avait élevés seule, ça avait été bien assez difficile, mon Dieu, elle n'allait pas replonger dans les couches à son âge ! Le père de Danny n'avait pas pensé à cela, les femmes sont tellement pragmatiques. La fille lui avait assuré qu'elle saurait très bien s'occuper du bébé.

Quand elle parlait de l'enfant, elle s'illuminait, n'avait plus rien à voir avec la gamine timide qui comptait les secondes au-dessus des bacs d'huile. Et si Danny s'absentait certains soirs, pour sortir avec ses copains, de plus en plus souvent – il était si jeune, qui aurait pu lui en vouloir ? quelle idée d'être père à seize ans ! –, même s'il semblait se désintéresser de la chose, elle ne lui en faisait pas le reproche. Elle restait devant la télévision, l'œil brillant, elle pouvait engloutir un litre de glace à la vanille par soir. Jamais elle ne se plaignait que Danny la laisse seule. Comme si elle n'avait eu besoin de personne, à peine remarquait-elle la présence de son beau-père assis dans le fauteuil à son côté.

## 2.

Elle n'a pas peur. Même si son cœur cogne dans sa poitrine. La musique est forte, elle scande son trouble, lui donne le trac et l'entraîne à la fois, tout comme les lumières qui l'éclairent tantôt de bleu, tantôt de rose, puis la dissimulent. Son corps ne lui appartient pas, il est celui d'une *autre* qui la protège, elle. Sa vision a du mal à s'accommoder aux néons qui déchirent l'obscurité, le champagne lui monte un peu à la tête. *Oh !* Elle n'a pas peur. *Ce serait de la timidité mal placée.* « Il suffit de te laisser aller, d'être sincère. » Elle saura être sincère car elle comprend où se pose le regard de l'homme qui l'encourage. « C'est bien mon petit, c'est très bien ! »

L'homme voit qu'elle est débutante, évidemment, elle n'a pas encore le coup, mais un potentiel dingue. Si elle suit ses conseils, elle se fera vite un paquet de pognon. Elle a expliqué être venue car elle avait besoin d'argent. Elles disent toutes ça, le vieux Max n'est pas dupe. Il sait déceler au premier coup d'œil celles qui sont aux abois et celles qui en ont toujours eu envie, au fond, bien que ce ne soit pas un rêve de gosse. Il sait repérer celles qui ont été abusées, celles qui viennent pour se faire du mal. Il sait deviner les enfances douloureuses et celles qui sont franchement paumées. Il en faut pour tous les goûts, des brunes et des rousses, des Latinos plantureuses, des Asiatiques plates comme de jeunes garçons, des salopes et des anges déchus, des agressives et des passives, des rigolotes, des prétentieuses, des endormies, des fausses vierges, des vraies putes, des gentilles, des franchement connes. Il faut des filles que ça excite, des filles que ça dégoûte et, parfois, il y en a une qui sort du lot, une vers qui tous les fantasmes convergent, une qui vous la dresse rien qu'en passant une main dans ses cheveux. Et la blonde qui se trémousse en face de lui fait partie de cette dernière catégorie, celle des bombes, des bandantes, des nanas qui sont faites pour ça. Elle, elle n'en a pas entièrement conscience, mais le vieux Max n'est pas né de la dernière pluie, le mythe de l'oie blanche, de l'innocente qui n'a pas d'autre moyen de subvenir à ses besoins que de se foutre à poil en dansant, c'est de la connerie ; on a toujours le choix de passer ou non la porte à doubles battants de *Chez*

*Gigi* pour proposer ses services. La fille qui balance son cul magnifique et penche la tête en arrière ne connaît pas l'ampleur de son talent. Elle ne mesure pas l'effet dévastateur qu'elle pourrait avoir sur les hommes ; mais elle doit s'en douter un peu, sinon, elle ne serait pas venue le voir, sinon, elle aurait été serveuse, caissière, elle aurait choisi de pointer à l'usine. Sinon, elle serait restée une honnête femme.

La fille a pourtant tenté de l'être. Avec sa grosse valise et son bébé sous le bras, elle a cherché refuge chez sa mère. La mère n'a pas voulu d'eux, pas même pour une nuit. « Je t'avais prévenue, Vickie, je ne veux pas de ton mioche, démerde-toi ! » Elle a préféré lui donner cinq cents dollars, la mère, ce qui est une grosse somme pour une femme de sa condition. La fille a accepté l'argent, et elle est repartie. Sa mère avait raison, elle l'avait *prévenue*. Elle a pris une chambre dans le premier motel, bébé Tom n'a pas pleuré, il était si mignon, un trésor, une merveille, à sourire, à bien dormir, à bien manger ; comment les gens pouvaient-ils imaginer qu'il serait un fardeau ?

Danny ne supportait pas le moindre cri, pourtant l'enfant ne pleurait jamais. Sauf les nuits, car *les bébés pleurent la nuit*. C'était ainsi que les choses avaient dégénéré. Sous prétexte que bébé le réveillait, Danny découchait, il dormait chez des copains, de plus en plus fréquemment ; il travaillait à la friterie avec son père la journée et ne repassait même pas à la maison. La fille n'était plus serveuse. M. Peterson avait été catégorique. « J'ai vraiment pas besoin de ça en plus. » La fille aurait aimé demander « en plus de quoi ? ». Elle s'était sentie très seule. Heureusement, bébé arrêtait de crier à la seconde où elle le prenait dans ses bras, il blottissait sa petite tête rose contre ses seins et il souriait dans son sommeil. Elle ne le remettait pas dans son berceau, ils étaient si bien, peau contre peau, il lui tenait chaud au cœur.

La fille déborde d'amour pour son petit, elle l'appelle mon ange, mon champignon mignon, ma crevette, ma citrouille adorée, ma grenouille poilue. Un soir, Danny est rentré avec une haleine de bière. Il ne voulait pas de Tommy dans leur lit qui était déjà trop étroit, et la fille est allée sur le canapé du salon pour ne pas réveiller l'enfant. Était-ce plutôt de cette façon que les choses avaient dégénéré ? Les soirs où Danny rentrait, ils faisaient chambre à part. Ça gênait M. Peterson qu'elle reste dans le salon avec le bébé. Il le lui avait dit ouvertement, un jour où Danny n'était pas là. Si le petit pleurait, elle ne savait plus où se mettre. C'était avec le père de Danny que les choses avaient dégénéré, sûrement.

Il avait été froid, distant, puis, insidieusement, son mutisme avait viré à l'hostilité.

La fille est persuadée qu'entre deux silences, il la déteste. Il déteste encore plus le bébé. Il les critique sans cesse. « Ce gosse est capricieux, tu lui cèdes tout. » *Comment peut-on faire des caprices à quatre mois ?* Elle souhaite ardemment être une bonne mère, craint de commettre des erreurs, elle ne veut pas *tout céder*, mais quelle mère peut résister à l'appel d'un nourrisson ? Oh, les yeux du grand-père quand l'enfant se love contre elle ! Plein de fiel, il maugrée entre ses dents des insultes, des blasphèmes, la fille en est certaine, même si elle ne perçoit aucun de ces mots distinctement. Le père de Danny lui jette des coups d'œil par en dessous, la fixe, muet, mauvais. Pourtant, elle avait fait beaucoup d'efforts pour être utile. Après la naissance de Tom, elle s'était rêvée en petite femme de la maison, pendant que Danny et son père travailleraient, elle s'occuperait du bébé, ferait la cuisine et le ménage, cela aurait été parfait. C'était *possible de bien s'entendre.*

Danny ne rentrait qu'un soir sur deux. Elle se retrouvait seule avec le père qui la remerciait à peine pour le mal qu'elle s'était donné. Un peu de reconnaissance, un peu de gentillesse, elle n'en demandait pas plus. Elle se sentait encore plus étrangère à sa vie qu'auparavant, elle relâcha ses efforts. Une lenteur, une torpeur mêlée d'angoisse s'emparèrent d'elle, elle vivait comme au ralenti. Heureusement, elle se réfugiait dans bébé, sans quoi elle aurait été tout à fait perdue.

Avec Danny, ils ont commencé à se disputer quand elle a appris qu'il fréquentait Janet Perkins, elles étaient ensemble au lycée, Janet était connue pour coucher. Le père de Danny le lui avait rappelé avec un rire méchant, « elle a une sacrée réputation, la petite Janet... ». Vickie n'est pas jalouse. Mais le père s'était mis à faire des allusions, de plus en plus crues, de plus en plus vulgaires, quand son fils découchait. Elle trouvait cela dégoûtant, quand il parlait de *la petite Janet*, il salivait presque.

Depuis la naissance de bébé, la fille n'a plus voulu que Danny la touche. Le père semble être parfaitement au courant de la situation. Les épiait-il ? Elle ne peut se résoudre à imaginer que Danny ait *parlé de ça* à son père. Au début, le vieux attendait d'être seul avec elle pour se moquer, pour lui envoyer des piques ; depuis quelque temps, il ne se gêne plus. Il a trouvé en son fils un spectateur goguenard qui accepte cette forme de tyrannie, à croire que cela rapproche les deux hommes. Implicitement, Danny a demandé à son père de le débarrasser de la fille et de l'enfant, ou plutôt il a accepté de les lui *donner*.

Ces derniers temps, le père a des gestes brusques, devient furieux sans raison, frappe du poing sur la table, bouscule les chaises, claque les portes. Alors, la fille serre bébé Tom contre elle, ne le lâche plus, sentant que l'enfant la protège. Elle ne dîne pas, n'a plus faim, elle qui avait si bon appétit. « Et tu le laisses jamais tranquille, ce mioche ? Tu vas finir par le rendre complètement poule mouillée, il ne sortira jamais des jupes de sa mère ! » La fille doute d'elle-même, Tom a cinq mois. Un soir où elle est assoupie avec l'enfant sur le canapé, un bruit de fermeture Éclair la réveille. A-t-elle rêvé ?

Elle n'est pas bonne cuisinière. *C'est pas compliqué de faire un gratin de macaronis.* Personne ne lui a appris, sa mère se fichait totalement des repas. Comme beaucoup de jeunes filles américaines, Vickie a grandi en mangeant devant la télévision. Elle adore la télévision. Les animateurs sont ses amis. Elle s'endort, bercée par les voix de John Springfeld, Richard Price et Margaret Lewis. Les grimaces des animateurs la font rire. Elle a une passion pour les talk-shows. Elle s'esclaffe quand ils chahutent les invités. Les paillettes, les spots, les annonces tonitruantes et les applaudissements façonnent le monde dans lequel elle se réfugie. Elle ne se verrait pas pour autant sur le plateau, ni dans le rôle de l'interviewer ni dans celui de l'interviewée. Les rires se prolongent jusque tard dans la nuit, ils secouent sa cage thoracique et soulèvent la petite tête de Tom, alors elle est heureuse. Elle ne s'endort pas profondément, trop inconfortable sur les mauvais coussins de mousse, trop peur que bébé ne glisse ou ne tombe. Elle serait morte s'il lui était arrivé quelque chose par sa négligence. A-t-elle vu une silhouette se découper dans l'encadrement de la porte ? L'esprit embrumé par les nuits de sommeil entrecoupées, les rires de la télévision, les cris de l'enfant. L'ombre de l'homme les observe. Elle pense à son père qui revient pour la sauver. C'est idiot, elle est trop fatiguée, trop lasse. Elle s'est rendormie, une main sur la tête de son fils, ses cheveux fins comme des fils de soie, son souffle minuscule, sa carcasse frêle la rassurent, il dégage tant de chaleur et d'amour.

Après cette nuit-là, elle a senti des pincements, ou plus exactement des points de pression, comme si on lui appuyait très fort sur la poitrine, une douleur aiguë d'une seconde, peut-être deux, une étreinte infernale. Elle n'en a parlé à personne. À qui pourrait-elle se confier ? *Ne fais pas ta chochotte, Vickie.* Elle demande à Danny de rester plus souvent dormir à la maison. Il ne veut rien entendre. C'est pour cela qu'elle lâche le nom de Janet Perkins. Non, elle n'est pas jalouse, elle est épuisée, et elle a peur. « Putain, peur de quoi ? » Comment pourrait-elle formuler ses angoisses ? M. Peterson ne va pas la frapper. M. Peterson ne ferait pas de mal à bébé. « Janet Perkins, elle, au moins, elle fait pas chier ! » Un pincement, elle reste muette de douleur. Après les efforts qu'elle a faits, elle qui ne se plaint de rien, c'est tellement injuste. Elle a la poitrine en feu. Elle reste interdite, pétrie par une main invisible qui lui enfonce ses ongles crochus entre les côtes. Son silence enhardit le jeune mari, l'adolescent timide se rebelle, pareil à un enfant égoïste et capricieux qui refuse d'être contrarié dans ses désirs, et il déteste cette grande fille, et il ne veut ni femme ni bébé, il veut être libre de fréquenter Janet Perkins ou une autre, merde, il n'a que dix-sept ans.

La belle blonde ressemble à une madone suppliciée, elle se tait, bébé Tom se met à pleurer, un éclair de terreur passe dans les yeux de la fille, un instinct sauvage dicte au garçon qu'il est temps de poignarder la colombe. *C'est comme ça que les choses ont vraiment dégénéré.* Un rictus tord la bouche du jeune homme, il la menace. « Tu n'as qu'à retourner chez ta mère ! » A-t-il levé la main sur elle ? Le père de Danny s'en mêle. « Bon débarras ! Tu nous pourris la vie avec ton mioche ! » Ils sont deux chiens lâchés après elle. Bébé Tom crie, lui aussi a peur, il donne à sa mère la force de se décider. Elle fait sa valise, l'enfant hurle à présent, les deux hommes lapident la fille et son bébé de leurs insultes, la valise peut à peine fermer, dans sa précipitation elle a sûrement oublié un tas de choses.

Est-ce qu'elle réfléchit quand elle enfonce la clef dans la portière ? Où ira-t-elle ? Sa mère comprendra. Elle installe bébé sur le siège-auto. Sa mère a été mère. Elle démarre dans un crissement de pneus. *C'est une nouvelle vie qui commence.* Mais sa mère est en colère. Comment a-t-elle pu oublier cela ? Quand la mère découvre les grands yeux bleus de sa fille et les grands yeux bleus de bébé, elle entre dans une rage folle. « Je te l'avais dit, Vickie, je t'avais prévenue ! »

*Oui, maman.* C'est tout ce qu'elle a pu dire, *oui, maman,* et qui allait s'occuper de cet enfant ? La mère a fermé son cœur. La fille a été bête de penser qu'il en serait autrement. La mère a donné cinq cents dollars et c'était déjà beaucoup. La fille a pris l'argent, « merci, maman, pardon, maman ». Elle sait que ça lui laisse à peine le temps de trouver un travail et un meublé. C'*est une nouvelle vie qui commence, fais-moi confiance, ma citrouille adorée.*

Elle l'a laissé dans la voiture pour l'audition. Audition est un bien grand mot, elle se tient seule face à un vieux à lunettes pendant que, dans le fond de la salle, derrière le bar, un type essuie des verres avec lenteur. Vickie est passée par les loges pour se déshabiller et a croisé deux filles qui se sont montrées très gentilles. Elle n'a pas peur pour Tom, il dort comme un ange et même s'il se réveillait ? Il est bien attaché sur son siège-auto. Que peut-il lui arriver à l'arrière d'une voiture garée sur le parking d'un night-club ? Si elle décroche le job, elle pourra se payer une baby-sitter. « C'est bien, mon petit, c'est très bien ! » Elle est sûre que ça marchera, elle l'a senti dès qu'elle est entrée. Quand le vieux lui a dit « appelez-moi Max ! », il lui a serré la main, elle a souri et d'une voix timide a répété « Max », elle a vu que c'était gagné. Elle ne sait pas danser, mais elle n'est pas idiote, ces filles-là ne sont pas engagées pour leur jeu de jambes. Les jambes de Vickie sont une splendeur. Et puis elle apprendra. Ça ne doit pas être sorcier.

Elle n'a pas peur même si elle est impressionnée. Le champagne lui monte à la tête. Elle n'a pas peur même si elle a laissé son fils de six mois endormi à l'arrière de sa voiture sur le parking d'un night-club. Ce n'est pas un souci, et non, elle n'était ni écervelée ni inconsciente comme on le dira par la suite. Elle n'avait pas le choix, elle ne connaissait personne à Houston. Elle avait tenté d'être caissière, une semaine. Ça l'avait ennuyée au plus haut point, et c'était si mal payé qu'elle en avait pleuré en recevant sa paie. Sa tante Elsie avait bien voulu s'occuper de bébé Tom cette semaine-là, en grimaçant. « Ça ne pourra pas durer, Vickie, hein ! Je fais ça pour te dépanner. » Bébé si doux, si calme d'ordinaire, n'avait pas cessé de chouiner. La fille préférait passer la journée avec son fils et travailler la nuit quand il dormait. C'était une *excellente solution.* Si ce que le vieux à lunettes lui dit est vrai, elle pourra bientôt se payer toutes les nounous de la terre.

Est-ce que l'idée de se déshabiller devant des inconnus ne lui pose véritablement aucun problème ? Elle connaît si peu la vie. Elle a quitté Fairfield pour trouver un de ces *endroits.* Quel genre de jeune fille ignore que ce sont des lieux de perdition ? Elle ne distinguait pas les nuances entre une danseuse exotique, une stripteaseuse, une call-girl, et, des années plus tard, lorsqu'on lui demanderait pourquoi – une blessure profonde ? l'absence du père ? un complexe d'Œdipe défaillant ? une faille narcissique ? –, elle répondrait invariablement « je savais que ce serait bien pour moi ».

Houston est une grande ville et *Chez Gigi* n'est un établissement ni prestigieux ni célèbre. Ses néons bleus clignotaient à la sortie de la bretelle d'autoroute et Vickie n'avait pas cherché plus loin. Elle avait garé sa voiture, demandé s'ils embauchaient des danseuses, on lui avait répondu de revenir pour une audition le lendemain. Il lui restait environ trois cents dollars et, bizarrement, l'argent l'inquiétait peu. Du moins pas ainsi qu'on aurait pu s'y attendre. Une très jeune mère célibataire, seule pour subvenir à ses besoins et à ceux de son enfant, aurait pu être terrifiée par tant de responsabilités, clouée par la peur de finir à la rue, que son enfant ne lui soit enlevé et placé à l'Assistance publique. Cette possibilité ne lui effleurait pas l'esprit ; Vickie était persuadée qu'elle trouverait toujours une solution. Elle n'était pas encore assez riche pour que l'argent lui brûle les doigts, mais en germe on pressentait une réelle légèreté, une insouciance que certains n'auraient pas hésité à qualifier de folie.

Au risque de simplifier un comportement souvent ambigu, on pourrait dire que l'argent, comme le sexe, appartient au monde des adultes et que, sans se le formuler clairement, toute sa vie durant, Vickie se servirait du sexe et de l'argent avec l'insouciance et la désinvolture d'une enfant. Elle avançait, le cœur battant, pleine d'espoir et pleine d'amour pour son bébé. Elle avait trouvé un but : protéger son petit et organiser une vie pour elle et pour lui. C'était un travail *facile*. Vickie pensait qu'elle apprendrait à ne plus être étrangère à elle-même, qu'elle s'habituerait à prendre possession de son corps. Était-ce aussi simple ? Avait-elle si peu conscience de choisir une vie de péché ? Elle n'avait pas été éduquée comme ça. Sa mère la serinait, « je ne t'ai pas éduquée comme ça, Vickie ». Mais de qui se moquait-on ? La mère avait *éduqué* ses enfants en les collant devant le téléviseur parce qu'elle était trop fatiguée ou trop en colère. Pour quelle raison ? Vickie l'ignorait.

Elle avait grandi dans la peur, peur du ton énervé de sa mère, peur de ses demi-frères, ces deux grands machins robustes et forts qui se cachaient derrière les portes, sous les lits, et surgissaient en poussant des cris terribles, peur panique qu'ils ne l'attrapent et ne la dévorent, et, le visage inondé de larmes, elle courait se réfugier dans les bras de sa mère qui la repoussait. « Les garçons, ça suffit, vous allez en prendre une ! » Et quand les coups pleuvaient, c'était autant sur Vickie que sur eux. « Tu me tapes sur les nerfs ! Tiens, au moins tu pleureras pour quelque chose. »

Était-ce aussi simple ? Comment expliquer ce courage soudain ? Celui d'onduler son corps devant les yeux ébahis d'un vieil inconnu. Et l'imprudence de laisser un bébé endormi à l'arrière de la voiture sur un parking en plein jour. Le parking d'un night-club de la banlieue de la grande ville de Houston.

« Appelez-moi Max !
— Max…
— Vous pouvez aller vous changer dans les loges, mon petit. »

Elle n'avait pas pensé à cela. Était-ce aussi simple ? Elle ouvre ses grands yeux bleus démesurément. Elle se dirige vers la porte que le vieux lui a indiquée. La boîte de nuit est sombre. On ne croirait pas que dehors, c'est l'après-midi, on n'imagine plus le soleil du Texas chauffer le bitume. Est-ce qu'elle a baissé la vitre arrière pour que passe un filet d'air ? Elle pousse la porte et entre dans les vestiaires.

Deux filles sont là. Une brune aux yeux de biche en dentelle rouge et une Noire pas encore en tenue. Le club ouvre au public dans une heure. La Noire porte un jean délavé et un tee-shirt jaune, elle est assez quelconque ; si on la croisait dans la rue, on ne se douterait pas qu'elle exerce ce type de profession. La dentelle rouge se maquille, elle applique lentement du mascara sur ses longs cils recourbés. Ses seins sont explosifs, ils éclaboussent Vickie, l'hypnotisent. Elle n'a jamais vu pareille poitrine.

*C'est magnifique*. Les deux filles lui sourient. Vickie lève les yeux vers les cintres portant les plumes, les robes pailletées, les morceaux de latex, les carrés de dentelle, les strings et les porte-jarretelles. Au sol s'alignent des bottes en vinyle aux talons démesurés, des chaussures à talons aiguilles, des sandales à talons compensés. Les couleurs pastel côtoient des assortiments fluo, des amoncellements de bordel, de chapeaux, de masques, de foulards. Une bayadère de perruques ébouriffées a été disposée sur le plateau d'une des quatre coiffeuses. Des bijoux en toc reflètent leur bling-bling dans les miroirs suréclairés. Des tonnes de produits de maquillage, des tubes de crème pas refermés, des palettes de fards à paupières vert canard, bleu turquoise, argentés, des rouges à lèvres écornés, et les filles lui sourient toujours.

Vickie ne s'attendait pas à cette ambiance de *copines* qu'elle connaissait si peu, au fond, elle qui s'enfermait dans la salle de bains pour se maquiller, et *légèrement*. « Ça fait pute, Vickie. » Avec son teint de pêche, elle n'avait besoin d'aucun fond de teint, d'aucune poudre, mais cela serait excitant de se déguiser avec d'autres filles. Pour l'occasion, elle a revêtu ses plus jolis sous-vêtements, elle comprend maintenant que cela ne suffira pas. La dentelle rouge est là, ses seins sont irréels, Vickie demande si c'est bien ici les vestiaires et la rouge acquiesce. « Oui, ma belle. » Sa voix est sucrée. « Tu viens pour danser ? »

Les deux filles ont immédiatement de l'empathie pour Vickie, elles devinent qu'elle ne l'a jamais fait, trop jeune, trop peu apprêtée, mais qu'elle fait partie du sérail, c'est une évidence, bientôt elle sera des leurs. Elles sont douces, lui enjoignent de se servir. Elles sont des sirènes mystérieuses et venues de pays lointains, et Vickie se sent soudain totalement étrangère au monde qui l'entoure, ou très fatiguée, perdue, qu'est-elle venue faire ici ? Elle reste les bras ballants : comment choisir parmi ces froufrous et ces plumes ? Les filles voient bien qu'il faut l'aider. La Noire s'avance et décroche un morceau de tissu blanc. *Une robe ? Ça ?* « Tiens, ma belle. »

Vickie tétanisée ignore si elle aura la force de tendre la main pour attraper le cintre qu'on lui présente, elle se souvient de bébé, il lui manque, elle voudrait être allongée sur le canapé avec bébé Tom dans les bras, où est bébé Tom ? Dans la voiture ? Il n'y a rien à craindre. Un pincement, une douleur *totale* lui broie la poitrine. La panique vient battre dans sa gorge. Elle a peur, elle se rend compte, pourquoi n'y a-t-elle pas pensé avant ? Pensé de manière pratique. Elle ne s'est même pas entraînée devant la glace. A-t-elle à ce point confiance en elle ? *C'est de la timidité mal placée.* Les deux autres se rapprochent, elles seront ses sœurs, et Vickie se laisse guider, elle sent une main lui donner une légère poussée dans le dos, la diriger vers un coin de la pièce, elle enjambe les fripes qui jonchent le sol, machinalement déboutonne son haut et enfile la robe tellement courte, mon Dieu, peut-on appeler ça une robe ? Elle défait la ceinture de sa jupe, on lui donne une paire de sandales à talons aiguilles nacrés et ce n'est pas sa taille ? Si ? Son gros pouce dépasse un peu, elle se cambre pour mieux tenir en équilibre. Elle est prête, hésite, découvre son reflet spectaculaire dans le miroir, hésite encore. « C'est la première fois ? Il faut fêter ça… Champagne, ma belle ! »

Vickie n'a bu du champagne que le jour de son mariage avec Danny.

« Oh ! non merci, je ne bois pas d'alcool.

— Tu es sûre ? Ça t'aidera, tu sais, crois-moi, un peu de champagne n'a jamais fait de mal à personne. »

La dentelle rouge a un bon sourire, elle parle d'expérience. Vickie s'empare de la coupe et la porte à ses lèvres. *Un peu de champagne n'a jamais fait de mal à personne.*

## 3.

Elle est endormie. Sa tête et le bas de son corps sont recouverts de champs stériles de couleur bleue. Son buste est parcouru de traits de feutre noir. La fille est en pointillé. Sous les néons, sa chair resplendit, elle réchauffe la lumière de cette salle froide et aseptisée. Sa peau possède un éclat doucereux particulier, celui de la peau d'une vraie blonde.

C'est la deuxième fois qu'elle passe entre les mains de Doc Cary. « Comme Cary Grant ? » avait-elle demandé en souriant timidement quand ils avaient été présentés. Elle avait été impressionnée par ce bellâtre. Le teint hâlé, les tempes grisonnantes, la mâchoire carrée de la cinquantaine triomphante, le sourire du professionnel, celui qui vous rassure instantanément, *avec lui, il ne pourra rien m'arriver.* Il lui avait prescrit des cachets pour affronter les douleurs postopératoires, ces deux briques de feu qui lui brûleraient la poitrine plusieurs semaines durant. Et quand elle avait eu mal au dos, elle l'avait à nouveau contacté. Elle ne connaissait aucun autre docteur dans la grande ville de Houston. « Juste cette fois, je vais m'habituer, mais j'ai mal aux reins, ça me pèse, Doc. » Elle l'avait encore appelé quand il lui semblait que sa cage thoracique allait exploser. Elle s'était bien gardée de dire à Doc Cary que ses douleurs ne dataient pas de l'opération. « C'est comme si on m'enfonçait les ongles dans les côtes, un point de pression, très, très fort, oh oui, une douleur insupportable, Doc, si vous pouviez me soulager, juste pour cette fois, Doc. Merci, Doc. » Peu d'hommes savaient résister à la fille et Doc Cary était de ceux qui ne résistent à aucune. Il avait l'ordonnance facile.

À peine avait-elle été embauchée comme danseuse *Chez Gigi* que le vieux Max lui avait avancé l'argent pour l'opération. Il avait vu juste, la fille a rapidement remboursé son 95 D. Comme la vie a passé vite. Comme la vie l'a changée. Elle autrefois si discrète, si introvertie, si solitaire, aujourd'hui une vedette, une *star*, celle pour qui on fait le voyage depuis Dallas. Elle n'en a pas cru ses oreilles quand un client lui a murmuré « tu sais que ton petit cul est célèbre dans tout le Texas ? ». Cynthia et Michelle et Pepper, ses amies, ses *sœurs*, car elles se serrent les coudes, lui disent « tu es notre *star*, Vickie ». Celle qui fait tomber le plus de billets entre les lacets de son string, et les filles ne sont pas jalouses, pas comme on aurait pu s'y attendre, et Vickie partage toujours. Elle offre le champagne, leur fait des cadeaux, une paire de chaussures, un sac à main, un bracelet, elle a des attentions. Non, aucune n'est jalouse d'elle, à quoi bon ? Vickie est douée, sait faire cracher leurs biffetons aux clients et elle est généreuse, elle a bon cœur. « Tu es notre *chérie*. » Quand Cynthia s'est fait avorter, Vickie a travaillé pour elle pendant une semaine, pour qu'elle puisse se remettre.

Elle est si jeune et pourtant elle a vécu tant de choses en quatre ans ! Parfois, quand elle y pense, son pouls s'accélère et à nouveau cette pression, comme si on l'empalait sur une fourche. Vickie a besoin d'être soulagée immédiatement, elle n'est pas faite pour la douleur. *Chez Gigi*, toutes les filles prennent des cachets. « Juste pour cette fois, Doc. Merci, Doc. » Elles partagent tout, elles sont une *famille*.

Les soirs où elle ne trouve pas de baby-sitter, Tommy reste dans les loges et les filles se battent presque pour s'occuper de lui. Elles le couvrent de baisers, le prennent sur leurs genoux et la tête blonde de l'enfant rebondit sur leurs seins siliconés. Un garçon de quatre ans si sage, qui parle comme un adulte, et jamais il ne dit un gros mot, quand bon Dieu ce qu'il peut entendre ! Les filles n'y vont pas de main morte, leurs conversations sont crues.

Tommy est devenu une sorte de mascotte adorée, protégée du monde des hommes par des fées nues comme des vers. Là, dans le fond des loges, alors que de l'autre côté du mur ces mêmes fées se trémoussent sur une musique assourdissante, là, dans une lumière tamisée, au sein de l'agitation générale, l'enfant découvre les aventures du singe Georges et de Pocahontas. L'image surprenante de ce petit garçon penché sur ses livres et ses crayons de couleur, concentré à l'extrême sur son cahier à spirale dans le tumulte des allées et venues de femmes en porte-jarretelles, un bonhomme de cire, immobile parmi leurs dentelles et leurs paillettes scintillantes. Parfois, elles le déguisent, lui mettent du maquillage, « regarde-moi comme il serait mignon en fille ! », puis rient de leur farce. Tom se laisse faire. « Quelle merveille ce gosse, quel trésor ! » Alors, elles lui donnent de bons baisers sur les joues.

Il sait leur parler, « oh ! comme tu es belle, Wendy, aujourd'hui. C'est une nouvelle robe ? ». Il est leur bébé à toutes et tellement affectueux avec ça. Quand une fille est triste ou a un coup de cafard, il l'entoure de ses bras potelés et lui murmure des tendresses à l'oreille. Un petit prince en son harem. Elles le gâtent, le gavent de sucreries et de soda.

« Allez, souhaite-moi bonne chance, Tommy, c'est l'heure d'y aller !

— Bonne chance, ma Pepper, rapporte plein de dollars ! »

L'une d'entre elles lui a même appris à compter les billets. Et les filles, enchantées, lui font manipuler des liasses d'argent sale que ses doigts d'enfant tachent d'innocence.

Le plus souvent, il finit par s'endormir. De l'autre côté du mur, les pulsations de la musique vibrent du sol au plafond. Sa mère installe un lit de fortune dans un coin, une pile de froufrous, alors les jacassements et les interjections baissent d'un ton pour protéger le sommeil de l'ange ; discrètement, l'une d'elles le couvre d'un pull ou d'un foulard pour qu'il ne prenne pas froid. L'enfant termine la nuit sous un amoncellement de vêtements, chacune voulant le couvrir, mère poule, d'un morceau symbolique de ses plumes. Au matin, la fille blonde se démaquille, renfile son jean et son vieux sweat-shirt. Elle s'agenouille et caresse doucement la joue de son fils.

« On rentre, trésor. Tu veux que je te porte ? Viens dans mes bras.

— C'est bon, je vais marcher, maman. »

Les yeux encore mi-clos, il se redresse puis se laisse retomber dans les bras de sa mère.

« Maman a bien gagné ce soir.

— Bravo, ma maman. »

Drôle de vision, cette fille superbe, à l'aube, sur le parking d'un night-club de la banlieue de Houston installant sur son siège-auto l'enfant qui s'est déjà rendormi.

L'odeur du sang humain est propre et parfaitement écœurante. De celles qui viennent se déposer directement à l'arrière de la langue. Une odeur qu'on goûte malgré soi. La fille saigne, énormément. Des linges blancs noyés de carmin s'amassent dans une bassine en plastique aux pieds du chirurgien. Devant lui s'alignent les pinces pour pincer, les écarteurs pour écarter, les mesureurs pour mesurer, les ciseaux pour couper, les bistouris pour inciser. Doc Cary s'empare du bistouri électrique, *bzitt bzitt*, il cautérise les veinules et les artérioles sectionnées, le sang arrête de goutter. Doc Cary brûle le rouge à vif, y laisse son empreinte. Une infinité de petites marques noires strient maintenant l'intérieur de la plaie béante. *Bzitt bzitt*. Une nouvelle odeur, celle de la chair grillée, se répand dans la salle d'opération.

C'est un ami du vieux milliardaire qui les a présentés. Comme les autres, il l'avait vue danser et, comme les autres, il avait été subjugué. Il en avait parlé à son ami. « Une fille ! J'ai rarement tiqué comme ça ! » Le vieux milliardaire avait répondu qu'il n'avait plus l'âge pour ces bêtises. « Ah non, je te jure, tu loupes quelque chose ! » Et après tout, pourquoi pas ? Cela l'amusait et, juste pour rire, un soir, après un bon dîner, un peu arrosé peut-être, les deux compères avaient poussé jusqu'au night-club.

La fille dépassait tout ce que le vieil homme pouvait avoir connu de fraîcheur, de blondeur, de rondeur. Mal ficelée dans une robe trop brillante, trop maquillée, perchée sur des talons trop hauts, elle rayonnait malgré tout. Il avait eu un véritable coup de foudre. La fille était le fantasme absolu, la vierge et la putain réunies. Incroyable, inconcevable que personne ne l'ait encore remarquée. C'est de cette façon qu'il en parlerait à la presse par la suite, la version officielle du moins, et quand on lui demanderait de se justifier, il ferait le parallèle avec les chercheurs d'or : elle était la pépite d'une vie, elle était exceptionnelle.

Le vieux milliardaire était tombé immédiatement, inconditionnellement amoureux. Elle serait à lui, malgré son âge, en dépit du bon sens. Même si soixante-trois ans les séparaient, même si elle aurait pu être sa petite-fille. À quatre-vingt-cinq ans, il était encore beau et élégant. Le vieux milliardaire n'avait pas l'habitude qu'on lui résiste. Il avait toujours ses yeux couleur miel, d'un vert pailleté d'or qui lui avait valu le surnom de *Tiger*. Il avait été redoutable en affaires, épousé trois femmes et les avait beaucoup trompées. De la première, avec qui il était resté marié quarante ans, il avait eu un fils, un garçon brillant, comme son père. Il avait été un bon père, mais jamais pu résister à un petit cul. C'était une génération différente, on respectait son épouse, cela n'empêchait pas d'être un homme, et un homme avait parfois besoin d'aller voir ailleurs. Milliardaire en pétrodollars, ça vous facilitait la tâche pour les coucher dans votre lit, et il se flattait de s'y connaître en blondes et en brunes. Mais une comme la fille, jamais de sa vie il n'avait vu un avion de chasse pareil.

« Du sérum, s'il vous plaît. »

Est-ce qu'une fille de vingt-deux ans peut tomber amoureuse d'un milliardaire de quatre-vingt-cinq ans ? Est-ce qu'une fille de vingt-deux ans belle à crever et à moitié à poil la plupart du temps peut faire croire à l'ancien tigre qu'il lui plaît ? Qu'il lui plaît physiquement ? Qu'il est celui qu'elle a choisi ? « C'est ridicule. » Les amis du vieux milliardaire haussent les sourcils. « Calme-toi, tu vois bien que ce n'est pas possible, tu aurais eu soixante ans, pourquoi pas ? Mais là, non, soyons sérieux. » La belle-fille du vieux milliardaire, celle qui a épousé le fils brillant, celle qui est respectable et porte un collier de perles, serait horrifiée à l'idée d'appeler la stripteaseuse « belle-maman ». Une gamine qui pourrait être sa fille ! Non, cette histoire n'est pas concevable, elle inverse le sens des planètes, les chevaux se dévoreraient entre eux avant qu'une telle histoire d'amour existe. Et n'appelez pas ça de l'amour, par pitié. Pourtant, le milliardaire est sincère. Pourquoi n'aurait-il pas droit à la blonde ? Le vieil homme connaît la vie, la fille peut s'acheter et cela lui suffit.

« Du sérum ! »

Le chirurgien murmure derrière son masque. Les gestes de l'instrumentiste sont précis. Il imbibe le linge et l'applique sur la plaie béante. Le pansement vire immédiatement au rouge cramoisi, d'un geste mécanique, empreint d'une certaine violence, Doc Cary le jette dans la bassine à ses pieds.

La première fois qu'elle a dansé rien que pour lui, il a su qu'elle était gentille. Elle lui a permis d'avancer les mains et de toucher, il a joué le petit vieux émerveillé. Il souriait comme un gosse. La fille ne se méfiait pas. Il avait l'air d'un vieillard inoffensif et pourtant, il bandait comme un âne, il bandait à en avoir mal. Il n'avait pas bandé comme ça depuis des années. Il lui a donné une sacrée liasse, mille dollars en plus du tarif habituel. Mille dollars de pourboire. Il les lui a tendus, l'œil brillant. Bonne fille, elle lui a dit « oh ! Attention, Papa, tu t'es trompé ». Il a hoché la tête et elle a fait disparaître l'argent entre ses seins.

Il est revenu le lendemain, il avait vraiment mal aux testicules. Une pression sourde, intenable, il aurait fallu qu'il se masturbe, mais ce n'était pas aussi simple. Le vieux milliardaire voulait que la fille le fasse, que la fille s'en charge, que la fille prenne sa bite de vieillard dans ses mains, il était prêt à payer n'importe quel prix pour ça. Il avait mis des heures à trouver le sommeil, s'était réveillé en y pensant, en avait eu envie toute la journée. Et le soir, après qu'elle eut dansé sur lui, il avait à peine pu se lever pour retourner à sa voiture.

La fille le connaît bien maintenant, il vient tous les soirs et tous les soirs il lui donne mille dollars de pourboire, dix billets de cent. Au début, elle n'avait pas cru à sa chance. *Incroyable*. Elle a offert une tournée de champagne aux filles pour fêter ça et Wendy a distribué des nouvelles pilules et toutes sont retombées en enfance. Elle était tellement heureuse. Et comme le vieux revenait, elle a commencé à calculer, il ne fallait pas tout dépenser, en garder un peu, pour Tommy, pour qu'elle et son fils soient à l'abri quelque temps, cela ne lui ressemblait pas, mais c'était beaucoup d'argent, elle n'avait pas le temps de le dépenser d'un jour à l'autre.

Soudain, elle est très sérieuse, ses grands yeux bleus virent outremer et elle doit se concentrer, faire un effort, ne pas se laisser aller comme elle le fait depuis trop d'années, ne pas rire ou faire l'imbécile ou jouer les allumeuses, elle sent que le vieux milliardaire n'aime pas cela. Elle doit être tout à lui et ensuite ? Que se passera-t-il ? S'il vient vraiment tous les soirs ? S'il lui donne mille dollars chaque soir ? Combien d'argent cela fera-t-il par mois ? Par an ? Si on ajoute à son salaire ? Elle voudrait changer d'appartement, elle voudrait une belle chambre pour Tommy ou une nouvelle voiture, ses rêves sont confus, elle doit garder les pieds sur terre. Peut-elle se permettre une aussi grosse dépense qu'une voiture ? Soudain, elle a *besoin* du vieil homme. Les autres filles la traitent de veinarde. « Tu es notre star, Vickie. » Certaines commencent à être jalouses, elle ne peut pas leur en vouloir. *Chez Gigi*, il est interdit aux danseuses de voir les clients en dehors du club.

Le vieux milliardaire ne vit plus que dans l'espoir de ramener la blonde chez lui. S'il avait eu les yeux moins secs, il en aurait pleuré. Il passe la porte de la boîte de nuit, la cherche du regard, quand elle le voit, l'expression de joie enfantine qui s'accroche sur le visage de la jeune fille le fait fondre. Parfois, elle bat des mains, quel homme pourrait résister à cette candeur ?

« Papa, tu es là ! Tu es venu pour moi ?

— Oui, ma poupée.

— Papa, tu veux que ta poupée s'occupe de toi ? »

L'innocence des premières danses a fait place à l'appât du gain. Il est son régulier. Quand elle ne travaille pas, elle le prévient la veille.

« Demain, ta petite poupée ne sera pas là, Papa. Est-ce que tu vas me faire des infidélités ?

— Tu sais bien que je n'ai d'yeux que pour toi. »

Jamais il n'aurait payé une autre danseuse.

Des compresses trempent dans un petit bol métallique. La panseuse essuie, au fur et à mesure, le bistouri électrique qui goutte. Un drain enfoncé dans le bras, des tubes, des tuyaux, les bips d'une machine. Le buste de la fille est maintenu à la verticale, les seins sont retournés au moyen de pinces et le sang dégouline. Les pointillés et les lignes découpent les formes qui se dessineront bientôt. La chair à vif porte les traces du bistouri qui l'a carbonisée par endroits. Doc Cary enfonce la pince, clampe la peau et la retourne. Dans un bruit sec, les ciseaux coupent et taillent la glande pour faire de la place à la prothèse, on croirait que le Doc débroussaille un buisson épineux, qu'il creuse la terre pour y déposer un petit œuf immaculé.

« Il me faut un coup de nettoyage, là. »

Le chirurgien a jeté ses gants dans la bassine, sa panseuse lui en enfile une nouvelle paire avec une dextérité étonnante.

Il veut une nuit entière. Il veut dormir blotti contre les seins de l'ange blond et prendre le petit déjeuner au lit avec elle. « Je suis ton Papa, avec moi ta vie va changer, fais-moi confiance. » Et la fille rit à gorge déployée, car le destin lui sourit.

Les trois blouses bleues s'affairent. Il fait froid.

« Passez-moi la prothèse. »

L'infirmière sort la demi-lune de pureté blanche de son sachet stérile. La lumière blafarde ricoche sur ce globe mouvant et colossal. Le chirurgien s'en empare à deux mains et l'enfonce dans le trou qu'il a creusé. Ses doigts experts plongent sous la chair, glissent, poussent, bourrent. Soudain, la peau de la fille se tend et la sphère prend sa place enchanteresse.

Alors, elle en a parlé à ses amies, à ses sœurs, car elles sont une *famille* et, après maints conciliabules, elles lui ont conseillé d'avouer à Max. « C'est peut-être ta chance, Vickie, tu as trouvé la poule aux œufs d'or, s'agirait de la dorloter ». Et la blonde, avec ses grands yeux, a demandé à Max s'il acceptait que le vieux milliardaire l'achète. Elle n'a pas employé le verbe « acheter », non, elle a dit « qu'il s'occupe de moi pour de bon ». Max a parfois de drôles de réactions. Les filles entre elles l'appellent le koala. C'est mignon un koala, mais c'est un animal sauvage, il faut s'en méfier. Max trouvait le vieux milliardaire trop vieux et ne s'en est pas caché. Elle était si jeune et si fraîche. « C'est ton cul, après tout, ma belle. » La fille a cru que sa poitrine allait exploser. « Tant que c'est le seul, que tu ne tapines pas en dehors. » Elle a promis de continuer à assurer ses danses et ses déhanchés au club, elle a promis de monter sur le podium de *Chez Gigi* à l'heure. Max n'avait pas l'air content mais il en avait vu défiler d'autres. Après leur discussion, la fille a gobé deux cachets coup sur coup.

« Passez-moi la seconde prothèse, s'il vous plaît. »

Ils passent le portail du ranch. Les cow-boys les saluent d'un geste grave, en appuyant légèrement de l'index sur le bord incurvé de leurs chapeaux. La voiture soulève de la poussière rouge sur leur passage et les vaches aux longues cornes demeurent immobiles. Quand la fille voit l'imposante bâtisse se dresser devant elle, ses colonnes blanches et les marches qu'il faut gravir pour arriver sur le perron, la hauteur démesurée de la porte d'entrée, son cœur se met à cogner plus fort. Le vieux milliardaire *est* milliardaire. C'est *réel.* La fille en était restée aux liasses de dix Benjamin. Elle n'avait pas imaginé le hall d'entrée avec un grand escalier recouvert de moquette vert profond, l'immense lustre en cristal, les vieux tableaux et leurs cadres dorés. Et combien y a-t-il de chambres ? Vingt ? Trente ?

Doc Cary mesure la distance qui sépare les deux mamelons.

« Il faut refermer maintenant. »

« Je veux te voir prendre un bain.

— Oui, Papa, avec de la mousse ?

— Avec de la mousse, ma poupée.

— Tu aimes mes seins, Papa ?

— J'adore tes seins.

— Tu voudrais que ta poupée ait d'encore plus gros seins ?

— Je voudrais tout ce que ma poupée voudra. »

Et la poupée déboutonne son chemisier, fait saillir ses épaules et d'un mouvement d'experte presse ses seins l'un contre l'autre. Les iris pailletés du vieux milliardaire s'illuminent, tels deux brasiers ardents. La poupée penche un peu la tête sur le côté, ses lèvres se gonflent dans une moue boudeuse, ce serait si joli d'avoir de plus gros seins. Même si elle a mal au dos à force de se cambrer. Le vieil amant tend une main fébrile.

« Laisse-moi les toucher pour voir. »

Elle est parcourue d'un frisson.

« Papa ? »

Sur la table s'alignent les petites boîtes qui contiennent des aiguilles aux courbures différentes. La panseuse continue à découper des compresses. Pour recoudre les aréoles, le chirurgien commence par les attacher aux quatre points cardinaux, le mamelon se transforme progressivement en un camélia rouge et boursouflé. Le long travail de broderie peut commencer. Doc Cary pique, Doc Cary coupe. Geste gracieux du bras qui tire en arrière, prend son élan et revient à la peau. Il tient l'aiguille avec le porte-aiguille et tamponne avec une compresse entre chaque point. Le sang recommence à couler sur le fil noir comme du barbelé. La peau est épaisse et élastique, la chair déborde encore par endroits, refusant de se laisser enfermer. La panseuse plie les compresses, qui prennent la forme de longs rectangles blancs qu'elle dispose sur le champ bleu. Enfin, autour de l'aréole, un trait noir se dessine, comme un chemin en point de croix.

« La lumière de ce côté, s'il vous plaît ! »

Doc Cary mesure une dernière fois. Il place les instruments ensanglantés dans un bac en métal tressé qui ressemble étrangement à un panier de friteuse, un de ces paniers que la fille observait avec angoisse quand M. Peterson lui criait « la cuisson des frites, putain, merde, Vickie ! ». Comme la friterie est loin ! Et le corps que Danny empoignait maladroitement ! Combien d'hommes l'ont empoignée et pénétrée depuis les sauts de carpe de l'adolescent ? Elle était innocente alors, innocente et perdue.

Doc Cary espère que ça tiendra, ce sont de très grosses prothèses, mais la fille est jeune, sa peau est ferme, il a tiré au maximum. Demain, le Doc expliquera à la fille que tout ça finira par se détendre et avoir l'air naturel. Doc Cary est un salaud et un menteur. Il sait bien que la fille aura très mal au dos, connaîtra des sensations de tiraillement, de picotement, il est même possible que cela finisse par se déchirer à certains endroits. Il sait qu'il la condamne à la difformité. Bien sûr, il se défendra, rétorquera que c'est elle qui l'avait voulu, elle et le vieux. Lui n'avait fait qu'accéder à leur demande.

« Ma poupée va devenir une star ! » avait déclaré le papy énamouré. Ils lui avaient parlé de cette autre blonde très célèbre, une actrice de série télévisée, Vickie était bien plus belle qu'elle, n'est-ce pas, Doc ? Et le Doc avait acquiescé.

L'opération est terminée. Le destin vient de s'accélérer. La fille est désormais promise à la gloire, celle des mutantes, celle des blondes à très forte poitrine.

## 4.

Eddy est un photographe qui se pique d'art. Il a vu toutes les rétrospectives de Terry Richardson, David LaChapelle, Peter Lindbergh, et se prétend l'ami d'Annie Leibovitz et de Mario Testino. À chaque fille qui passe dans son studio, il ressort la même soupe sur sa fascination pour les autoportraits de Cindy Sherman et de grandes théories sur la différence entre les nus pornographiques et les nus sensuels et artistiques – « tu vois, mon chou, l'art est dans la délectation » –, des phrases pour la plupart tirées d'une biographie d'Helmut Newton, qu'il a arrangées à sa sauce pour servir ses intérêts. Il pense impressionner les filles, il s'en est persuadé, alors que la plupart n'y comprennent fichtrement rien et le laissent parler en espérant qu'il ne leur demande pas d'émettre un avis personnel sur le sujet.

Il est évident qu'Eddy est un escroc. Pas besoin de connaître le travail de Cindy Sherman pour sentir qu'il la baratine, la blonde ne se laisse pas avoir par ces grands discours. Humblement, elle se tait, sachant que si elle est ici, dans le studio de Monsieur Eddy, c'est pour montrer ses fesses, pas pour philosopher sur le non-voilement de l'être.

Eddy a besoin de ces préliminaires, de ce rituel pseudo-intello. Il s'est forgé une idée, une légende de son pouvoir – non pas de séduction, car il se sait fort laid – à embobiner les filles. Il aime à croire que, si elles finissent toutes par le sucer, c'est qu'il sait y faire. Or la majorité d'entre elles s'attendent à y passer avant même que la séance photo ait commencé. La blonde en est presque touchante. Ne sachant si elle doit le faire avant ou après, elle se tient droite, sourit.

Si Eddy était plus attentif, il verrait qu'un frisson parcourt son dos nu. Il la juge, la classe dans la catégorie des obéissantes, des pas farouches, de celles qui ont l'habitude. C'est un bon point pour la blonde. Eddy préfère ça aux filles qui posent nues pour la première fois. Même si elles ont des rêves plein la tête et se disent prêtes à tout pour y arriver, ces séances-là l'ennuient mortellement. Le temps passé à les désinhiber est du temps perdu, capturer l'innocence n'intéresse pas le photographe. Tout ça pour finir les cuisses écartées et en larmes.

Eddy n'est ni sentimental ni patient. Il doit son succès à sa réputation : il est celui qui a déniché le plus de Texanes pour *Playboy*. Il est devenu les fourches Caudines, le passage obligé des filles qui veulent un jour se retrouver sur le dépliant central du magazine de charme. Il incarne l'accès, la clef pour débuter dans le monde merveilleux des pin-up. Son nom est également cité lors d'événements plus populaires tels que Miss Texas Polestar, ou l'élection de la Cow-girl la Plus Sexy de l'Année.

Pourtant, Eddy n'est pas un découvreur de talents. Au fond, tous les culs se valent, selon lui. Un observateur un peu porté sur la psychanalyse aurait même affirmé qu'il détestait les femmes, si invraisemblable que cela puisse paraître. Et même s'il aime la photographie, même s'il reconnaît le génie de certains photographes, Eddy reste médiocre. Au mieux, il ne peut qu'imiter ses maîtres. Et les filles font la queue pour qu'il prenne un Polaroïd d'elles et daigne l'envoyer à la grande maison – il abuse du Polaroïd, adore l'aspect jauni, surexposé, toujours un peu flouté de ces photos, qui lui confère un style très sophistiqué. Eddy ne décide de rien, il n'est que le premier maillon, le scout, le rabatteur. Mais les filles entretiennent la rumeur : si Monsieur Eddy dit oui, alors elles seront lancées. La blonde dans son studio, qui s'est déshabillée sans faire de manières, y croit dur comme fer.

Quand on demandera au photographe de raconter cette première séance, il constatera qu'il l'a oubliée, elle était si semblable aux autres. Il fera un effort pour se revoir debout dans son studio, il imaginera ce qu'il avait ressenti devant cette blonde platine, grande, plus grande que la moyenne, plantureuse, presque grasse. Il dira, pure invention, qu'il l'avait trouvée très jeune, « un visage angélique, une bouche en cœur adorable et cette paire de seins colossale ». Est-ce qu'elle avait une aura particulière ? Eddy se gardera bien de répondre qu'il aurait juré que non, qu'il s'en foutait, qu'il l'avait baisée, comme les autres. Ni plus ni moins. « Oui, j'ai tout de suite senti qu'elle ferait partie du top 10. »

Il assure à la fille qu'elle est très jolie et qu'il fera quelque chose pour elle, quelque chose de spécial, il lui parle de Hollywood, prononce le mot magique, le nom de l'actrice blonde, celle qui est célèbre, il dit à la fille qu'elle lui ressemble, le visage poupin s'illumine, ça marche à tous les coups. Il a deviné que c'était à cette actrice que la fille voulait ressembler, elles veulent toutes lui ressembler. Eddy s'ennuie. La fille lui a montré son profil droit, son profil gauche, elle n'est pas timide ou alors elle le cache bien, n'arrête jamais de sourire.

Elle lui raconte qu'elle danse *Chez Gigi* depuis quatre ans maintenant, elle voudrait que sa carrière décolle. Sa carrière de quoi ? De pute ? Elle a un vieux gentil qui s'occupe d'elle, c'est le vieux qui lui a mis dans la tête qu'elle était assez belle pour devenir playmate. Elle espère *de tout cœur* que Monsieur Eddy l'aidera, elle a des expressions mignonnes et, quand elle se tait, elle fait une moue charmante. Ils ont pris une dizaine de poses en cinq minutes. « Bon, j'ai tout ce qu'il me faut ! » Un sourire en coin. « Enfin... pas tout à fait CE qu'il me faut. » Il a trouvé la formule des années auparavant. C'est sa petite blague. La plupart des filles saisissent tout de suite, les autres font semblant de ne pas comprendre. Celles-là, il les laisse se rhabiller et met leurs photos directement à la poubelle une fois qu'elles ont passé la porte.

La blonde connaît la vie, sait comment marchent les hommes. Elle lui lance une œillade. « Alors, qu'est-CE qu'il vous faut vraiment ? », son rire est cristallin. On la sent presque soulagée, enfin on brise la glace. La fille n'avait pas trop aimé quand il lui avait parlé de Herb Ritts, « dont les portraits, mon chou, s'inspirent de la culture grecque classique ». Elle s'était concentrée, son regard avait trouvé un point d'ancrage sur le sommet du crâne de Monsieur Eddy, là où ses cheveux clairsemés formaient de petits frisottis.

« Tu comprends tout, toi. »

Elle sourit encore.

« Allez, trêve de sentimentalisme, mets-toi à quatre pattes. »

La fille hésite parce qu'elle s'attendait à se mettre à genoux, mais elle obtempère. C'est un truc qu'Eddy sent, il sait jusqu'où il peut aller. La blonde est du genre à tout accepter. Alors qu'elle s'exécute, elle a l'impression qu'on lui broie la poitrine, ce point, ce mal, comme un cri, comme un poignard. Elle aurait vraiment besoin de codéine, là, tout de suite, elle n'ose plus bouger, bonne fille, terrassée. *Ça va passer.*

Le photographe est allé trifouiller dans un tiroir, il en ressort un machin noir en plastique ou en caoutchouc. Et un tube de crème. Du lubrifiant ? Elle n'ose pas trop regarder ces préparatifs. Elle cambre les reins au maximum pour qu'il la trouve excitante, que ça se termine vite. La douleur de la chose enfoncée entre ses fesses, un frottement aigu, une brûlure atroce dans l'anus. Elle ferme les yeux, elle attend qu'il finisse de haleter comme un petit chien et s'abatte sur le tapis. Elle se relève, le feu se propage dans ses reins, elle se rhabille très vite, arrive à la porte et, d'une voix de souris, dit « merci, Monsieur Eddy, j'espère avoir de vos nouvelles bientôt ». Il ne répond pas, le souffle encore court d'avoir joui si fort, malgré lui.

Pendant ce temps, le vieux milliardaire s'occupe de Tommy. Les trois années qui vont suivre, le vieux milliardaire aimera Tommy comme son propre fils. Le tigre, l'implacable, a toujours eu une âme de protecteur, il trouve la vie injuste envers la blonde et son petit. Non, ils n'ont pas eu de chance jusqu'à présent et lui va rétablir la chance, c'est la mission qu'il s'est choisie. Il dit « je m'en charge ». Il dit « j'en fais mon affaire ». Il a bien fait de l'envoyer chez ce Monsieur Eddy, car le photographe a transmis les photos au magazine avec ses plus chaudes recommandations et le rédacteur en chef a flashé sur la blonde. Le vieux milliardaire n'avait-il pas dit qu'il était redoutable en business ? Qu'il avait toujours eu l'œil ? La fille a pris l'avion pour la première fois de sa vie. Elle est allée en Californie, à Beverly Hills, elle était folle de joie. « Ce n'est qu'un début, ma poupée. » Le vieux milliardaire avait raison. Car oui, on peut parler d'ascension fulgurante, de *conte de fées*.

Dans chaque interview – elle en a donné des dizaines ces derniers temps –, elle dit « ma vie est un conte de fées ». Elle le pense, sincèrement. Elle n'est plus danseuse, elle a quitté ses amies, ses *sœurs*, sa famille de cœur. Toutes ont beaucoup pleuré en se promettant de se revoir bientôt. « Tu es notre star, Vickie. » Elles savaient qu'elles ne la reverraient jamais, elles avaient serré le petit Tom dans leurs bras, encore un homme qui les abandonnait. « Bonne vie, Tommy la citrouille, passe nous voir de temps en temps. » C'était absurde, comment pouvait-on dire cela à un enfant de cinq ans ?

La blonde s'est installée avec son fils dans le ranch du vieux milliardaire. Tom a une belle chambre maintenant, et il aime beaucoup les chevaux et les vaches aux longues cornes. Un chauffeur le conduit à sa nouvelle école tous les jours. Un chauffeur pour son fils ! Elle est si heureuse. C'est une petite école dans une petite ville des environs de Houston, et Tom n'est pas bagarreur, il encaisse les insultes et les coups dans la cour de récréation, il laisse ses beaux habits neufs être traînés dans la poussière rouge. L'enfant gardera de ces années un souvenir d'une violence floue. *Ta mère la pute.*

Sa maîtresse l'adore pourtant et le vieux milliardaire sait trouver les mots pour expliquer la bêtise et la méchanceté des gens. Tom travaille très bien à l'école. « C'est le plus important », dit le vieux milliardaire qui inspecte son carnet de notes tous les soirs. La santé du garçon devient fragile. Il est plus grand que ses camarades de classe, mais chétif. Le matin au petit déjeuner, à peine arrive-t-il à avaler une bouchée de pancake et il repousse son assiette. Il trempe les lèvres dans le verre de lait que la cuisinière mexicaine lui verse en soupirant. « Il faut te nourrir, crevette, il faut boire du lait pour avoir de bons os. » Tommy fixe les poignets de la cuisinière, ses os à elle donnent l'impression qu'elle est bâtie de tronçons. Il a des allergies qui, au fil du temps, se transforment en crises d'asthme. Heureusement que le vieux milliardaire connaît les meilleurs docteurs, pour Tommy et pour Vickie, car Vickie aussi a du mal à respirer. « Comme une gaine de fer, Papa, comme un étau, tu vois ? » Alors, elle prend de la morphine ou un de ses dérivés. Le vieux milliardaire s'occupe de la mère et du fils, il ne supporte pas de les voir souffrir. « Ça va aller mieux maintenant, je suis là pour vous, je suis votre Papa. »

La blonde doit beaucoup prendre l'avion, les photographes aiment les îles et les mers turquoise. Quelle vie elle a ! Malheureusement, elle a du mal à trouver le sommeil, à cause du décalage horaire. Il faudrait qu'elle habite en Californie, à Hollywood. Le ranch se trouve à deux mille cinq cents kilomètres de la Californie ! Elle ne veut pas quitter son vieux milliardaire. Tommy a besoin de stabilité. C'est sa *priorité*. Comme ils sont méchants, ceux qui prétendent qu'elle abandonne son enfant. C'est pour son bébé qu'elle fait tout ça, ces photos et ces clips et ces vidéos et ces déhanchés et ces balancements, la tête rejetée en arrière, « oui, comme ça, caresse-toi, ma belle, oui », et ces mouvements de cheveux blonds, « plus sensuel, oui voilà, parfait, regarde la caméra, allez encore un effort ». Tous ces *efforts* et ces chambres d'hôtel et ces voyages, levée à l'aube pour la lumière, « oui parfait, frotte-toi contre le palmier, et remettez-lui du rouge à lèvres, ne bouge pas ma belle ». Son fils est sa raison de vivre, la raison de toute cette agitation qui la tue. « C'est bien çaaa, fais-moi tes yeux de chatte, oui, c'est bon çaaa, encore, vaaas-y, fais la tigresse. » Et il y a tellement d'opportunités, tellement de gens qui veulent la voir, tellement de gens qui l'aiment maintenant. Elle n'a pas seulement été Miss *Playboy* juillet, ils l'ont élue playmate de l'année. Ils lui ont fait un chèque de *cent mille dollars* ! Ils lui ont offert une Jaguar grise, *décapotable* ! Miss Cow-girl Sexy peut aller se rhabiller.

Et le conte de fées ne fait que commencer. *Ma vie est un conte de fées.* Une grande marque de prêt-à-porter lui propose de devenir son égérie. Rien que le mot *égérie* porte des ailes. C'est une marque de prestige, cette fois-ci, plus question d'être nue ni même en sous-vêtements. Vickie sera partout, sur les murs des villes américaines et européennes et jusqu'en Chine ! Elle succède à une top-modèle allemande, blonde, très belle, très célèbre, très *respectable.* Des avocats lui font signer un contrat. Maintenant, c'est au tour de Vickie. La campagne de publicité sera affichée parfois sur des immeubles entiers, sur des tours. La fille va devenir immense. Quand elle marche dans la rue, ils la reconnaissent, ils murmurent son nom, Vickie Smith, ils disent « c'est elle, c'est la fille de la pub », ils veulent des autographes. On lui demande si elle est heureuse. « Oh ! oui, ma vie est un conte de fées. » La vérité est qu'elle est abasourdie. Et très fatiguée.

Lors de ces nombreux voyages, ils lui ont appris à devenir capricieuse. La fille peut demander n'importe quoi, on le lui apportera. Une pizza double pepperoni arrosée de sauce barbecue, en plein shooting sur une île déserte au milieu de l'océan Indien ? Oui. Elle reste ébahie devant la pizza fumante. Ils sont vraiment là pour accéder à ses demandes. Au départ, c'est un jeu, mais elle y prend goût. Tout le monde lui dit « je t'aime, tu es exceptionnelle, tu es si belle, tu es notre *star*, notre *chérie* ». Même des gens qu'elle ne connaît pas l'appellent ainsi. « Tu veux une coupe de champagne, *chérie* ? » Où sont ses amies, ses sœurs, celles qui étaient sa famille ? Qui est cet homme qui lui murmure à l'oreille « je t'aime, *chérie* » ? Un Français ? Les Français sont tellement chic. Qui sont ces hommes qui la rejoignent, le soir dans sa chambre d'hôtel ? On ne la laisse jamais seule, on l'entoure de maquilleurs, de coiffeurs, de stylistes, d'esthéticiennes, car il faut tout transformer, tout teindre, même ses poils pubiens, lui coller de faux ongles et de faux cils. Elle aurait tant besoin de dormir. « Tu veux un somnifère, *chérie* ? »

Elle a dû mincir pour les besoins de la marque de vêtements, ses seins paraissent d'autant plus démesurés qu'elle a maintenant une taille de guêpe, son dos lui fait mal. « Tu veux des médicaments, *chérie* ? » Elle prend les petites pilules qu'on lui tend, pour ne plus souffrir, pour dormir, pour tenir. Elle aime l'attention qu'on lui porte, aime être entourée, elle retourne à son premier penchant, celui de spectatrice, inerte, les bras ballants, elle les laisse s'activer et décider pour elle. On lui demande de sourire, « fais-moi tes yeux de salope », de rester immobile des heures durant sous les flashs et les spots. Dormante et éveillée, stupéfaite et au bord de l'hystérie, elle reste sans bouger, à battre des cils pendant que l'assistante déplace pour la centième fois une mèche de ses cheveux blonds. « Oui, c'est çaaa. »

Elle n'a jamais voulu cela. Un tel engouement, une telle gloire, elle n'était pas ambitieuse, les gens raconteront n'importe quoi. Si elle a parfois rêvé d'être une *star*, c'était adolescente, en mangeant du pop-corn devant son poste de télévision parce que sa mère criait trop fort, parce que ses frères lui faisaient peur, parce qu'elle voulait fuir la réalité sordide de Fairfield, mais elle n'a pas élaboré de plan, de stratagème, être danseuse *Chez Gigi* lui suffisait, elle avait des horaires, des pourboires, des clients réguliers, des sourires, une famille et Tommy était avec elle.

Aujourd'hui, sa vie lui échappe, c'est elle qui finit par raconter n'importe quoi, comment pouvait-elle rêver de prendre des jets privés, elle ne savait même pas que de si petits avions existaient. Ils veulent lui construire une histoire, une mythologie, elle répond à leurs questions pour leur faire plaisir, elle est dépassée. Des journalistes malintentionnés interrogent ses anciens camarades de classe, les clients de la friterie de Fairfield, on fait courir sur son compte les bruits les plus divers, la rumeur roule et enfle, elle est lunatique, fantasque, a des exigences de diva – tout ça pour une envie de pizza ? Ils sont unanimes, la blonde a toujours su qu'elle deviendrait célèbre.

Elle se sent lasse, ne sait même plus pourquoi elle est là. Elle donne les pleins pouvoirs au vieux milliardaire. Lui comprend, lui fait partie du monde *réel*, il a repris sa peau de tigre, il lit ses contrats, négocie pour elle, la protège. Le vieux milliardaire est son agent, son ami, son amant, son père et le père de Tom.

Elle a parfois des accès de colère, tout son corps se tend comme sous un coup de fouet, elle sent ses cheveux blonds se dresser, un frisson dans la nuque, elle va sortir de cet état léthargique, elle va décider, elle va prendre sa vie en main. Elle se revoit quittant la maison de Danny et son père avec son bébé sous le bras. Comme elle avait du courage alors. Elle voudrait être une femme d'affaires, mais le vieux milliardaire lui dit

« laisse-moi faire, ma poupée, tu n'y comprends rien, laisse-moi prendre soin de ces choses ». Les mots restent coincés dans sa gorge et elle va se rasseoir sur le canapé.

Son fils lui manque, son bébé aux yeux bleus. Les somnifères la tabassent, ses nuits sont lourdes de rêves où elle serre son enfant contre elle de toutes ses forces, mais le petit corps reste raide et sans vie. *Sans vie ?* Elle tente de se réveiller pour que cesse ce cauchemar, son cerveau est trop brumeux pour s'extraire de ces visions infernales. Les semaines où elle reste au ranch, elle le couvre de baisers à l'étouffer. « Si tu veux, ma citrouille, tu ne vas pas à l'école aujourd'hui, tu restes avec maman et on dira que tu étais malade. » Le vieux milliardaire se fâche, et la blonde baisse la tête et Tommy prend son cartable. Elle l'embrasse une dernière fois. « À ce soir, mon trésor. » Sans son fils, elle ne sert à rien. Comme ils sont odieux, ceux qui disent qu'elle délaisse son petit ! Même quand elle a dû aller au Japon, elle l'appelait tous les jours.

« Je pense à toi, ma citrouille adorée. Je fais ça pour nous, tu sais, pour qu'on soit forts. Je montre ta photo à tout le monde. Mes nouveaux amis japonais te trouvent magnifique. Et tu as eu des bonnes notes à l'école ?

— Oui, ma maman.

— Embrasse-moi. »

L'enfant dépose un baiser léger comme une plume sur le combiné.

« Plus fort, plus fort que ça. J'ai tellement besoin de toi. »

Quand elle raccroche, elle a des crises de larmes et elle prend un cachet parce que ses seins la brûlent d'une montée de lait maternel imaginaire.

Alors, le vieux milliardaire la demande en mariage. Elle refuse.

« Pourquoi ?

— Non, Papa, les gens ne comprendraient pas.

— Je me fous de ce que les gens peuvent penser.

— Pas moi. »

## 5.

Le vieux milliardaire fête ses quatre-vingt-huit ans. Son fils a insisté pour inviter tous ces gens. Ces gens venus pour se repaître du spectacle de la Belle. Le vieux milliardaire n'a plus beaucoup d'amis, certains sont morts, d'autres l'ont oublié, la vie a passé. Restent son comptable, son notaire, son avocat, quelques voisins, une ancienne secrétaire, celui qui l'a emmené *Chez Gigi* la première fois, beaucoup de notables du comté, la plupart sont des connaissances du fils et de la belle-fille.

Ils sont innombrables et, dans leurs beaux habits, ils se pressent pour voir la blonde, la monstrueuse croqueuse de diamants. Il est vrai que le vieil amoureux couvre la fille de cadeaux. Rien n'est trop beau pour sa poupée. Ce soir, elle s'est parée comme d'autres enfilent une armure, elle est recouverte de bijoux, étincelle littéralement.

Pourquoi a-t-elle fait cela ? Pour que la femme du fils s'étrangle avec son collier de perles ? Pour montrer au fils qu'elle occupe la première place dans le cœur de son père ? *Regarde comme il m'aime, regarde comme je suis riche !* Elle gagne son propre argent maintenant, *Playboy* lui a fait un chèque de *cent mille dollars* ! Malheureusement très vite dépensés, oui, elle ignore de quelle façon d'ailleurs, il semblerait que l'argent ait disparu, se soit volatilisé.

Ses chaussures lui font mal aux pieds, trop étroites, trop fins les talons aiguilles piqués de strass. Si elle se tenait à côté d'elle, la belle-fille du vieux milliardaire ressemblerait à une pauvre vieille oie empaillée. La blonde n'a pas la tenue adéquate, elle s'en rend compte maintenant. Elle aurait dû en choisir une plus sobre, plus simple, elle est déjà si belle, qu'avait-elle besoin d'une robe aussi voyante ? A-t-elle confondu l'anniversaire d'un vieillard avec un soir de première ? Elle avait besoin d'un avis, ne connaissait rien à ce genre de coteries. Quand elle a demandé à Papa ce qu'il aimerait qu'elle porte, il lui a fait un chèque. Elle a été affreusement mal conseillée par la vendeuse du magasin, on l'a déguisée en sapin de Noël. Elle qui voulait tant faire honneur au vieux milliardaire, elle qui voulait être *classe*, ressemble à une poule fuchsia. « Le rose est votre couleur ! » La vendeuse lui avait montré la photo de Marilyn Monroe quand elle chante *Diamonds are a Girl's Best Friend.* À quoi pensait-elle alors ? « Oui, rose, pourquoi pas ? » Depuis ce matin, elle a une boule au ventre, elle a pris de la codéine et du Zoloft, elle flotte. Et le coiffeur n'aurait pas dû lui faire ce chignon bouclé avec tant de postiches. « Faites-moi confiance, c'est pour donner du volume, vos cheveux sont très abîmés. » *Oh !* elle n'aurait dû faire confiance à personne, tous se sont ligués contre elle.

La blonde est juchée sur des talons immenses et le vieillard voûté lui arrive à peine aux épaules, ils forment un couple ridicule. Les gens murmurent sur son passage « ri-di-cule ». Mon Dieu, sa robe la serre ! Elle observe Tommy évoluer parmi les invités ; il donne la main au vieux milliardaire, comme il est mignon dans son petit costume avec son bolo. Il ressemble de plus en plus à Vickie. Ces hommes et ces femmes ont-ils fait exprès de s'habiller en noir ? Sont-ils en deuil ? Ils lui font l'effet de centaines de blattes rampant à pas feutrés sous le grand lustre du salon. Elle s'accroche à la blondeur de son fils, un petit point de lumière qui vacille. Elle a besoin d'air.

D'habitude, les hommes sont trahis par leur regard. Leurs yeux s'allument dès qu'ils voient la blonde. Ce soir, elle n'a reçu que des poignards. Ils la haïssent, la méprisent. Ont-ils été menacés ? Le premier qui est gentil avec elle et lui adresse la parole sera-t-il excommunié ? Elle a peur et elle a du mal à respirer. Où est Tommy ? Où sont les boucles blondes de son enfant ? Est-il parti se coucher, déjà ? Quelle heure est-il ? Il n'est pas si tard, puisque les invités continuent à arriver, des grappes d'insectes et des milliers de pattes velues.

Elle est nerveuse mais elle essaie de rester digne, de dire bonjour, elle leur tend la main, tente de ressembler à une *aristocrate*, à l'idée qu'elle s'en fait. Elle se convainc qu'elle joue un rôle, penche légèrement la tête, sourit, « oh, je suis ravie de vous recevoir, enchantée, madame ».

Elle est mauvaise actrice, abandonne, reste silencieuse, pétrifiée par ces gens venus en nombre pour la détester et lui broyer la cage thoracique. Elle n'a rien avalé. N'a pas touché au buffet. Elle a bu du champagne, trop. Le majordome passe avec son plateau. Elle vide sa coupe d'un trait maintenant et la repose maladroitement sur le plat d'argent. « Une autre, s'il vous plaît. » La tête lui tourne un peu, mais ce n'est pas le problème. Est-ce qu'ils ont prévu un gâteau d'anniversaire ? Est-ce qu'ils ont prévu que le vieux souffle ses bougies ? Qui a passé commande ? Qui a choisi ce traiteur ? Et les fleurs ? La blonde n'est pas une bonne maîtresse de maison, elle est trop jeune, ça ne l'intéresse pas. Est-ce que la belle-fille du milliardaire lui a dit « Vickie, laissez-moi m'en occuper, ça me fait tellement plaisir d'organiser l'anniversaire de mon beau-père et vous travaillez cette semaine-là, vous n'aurez pas le temps, n'est-ce pas » ? Non. La belle-fille n'adresse pas la parole à cette *prostituée*. Elle ne prononce même pas son nom, en revanche, elle articule distinctement chaque syllabe : pros-ti-tu-ée. Elle est la méchante sœur du conte, des vipères et des larves sortent de sa bouche quand elle parle. Le vieux milliardaire a joué les messagers. « Ma poupée, puisque tu ne seras pas au ranch, laisse ma belle-fille s'en occuper, elle a l'habitude. Elle fera ça parfaitement. » La poupée n'est jalouse de personne. La poupée ne veut de mal à personne.

Où est sa mère ? Elle aurait besoin de sa mère maintenant. *Sois belle et tais-toi*. Plus elle est célèbre, plus on reconnaît son visage, plus on s'attend à ce qu'elle soit la muette de la couverture en papier glacé. Elle s'applique, pour faire plaisir. Elle tente de se donner du courage. *Après tout, je suis une star*. Une star doit être capricieuse, hautaine, une star *sait*. Vickie, elle, ne sait rien, alors elle se replie sur elle-même et se tait, terrorisée par son reflet dans la glace. Qui est cette fille immense avec de si gros seins et des cheveux presque blancs ? Et ces boucles parfaites, et cette bouche rouge sang, et ce maquillage sophistiqué qui métamorphose son visage ? Et son père, serait-il fier d'elle s'il la voyait ? Est-ce qu'il a acheté *Playboy* comme tant d'autres hommes, est-ce qu'il s'est masturbé sur le dépliant central sans savoir que la blonde était sa fille ? Sa mère ne lui serait d'aucune aide pour la guider dans une réception de ce genre, une réception de culs coincés.

Dehors, il fait bon, c'est une belle soirée, une certaine moiteur imprègne l'air. Une légère brise caresse les chevilles de ceux qui se promènent dans le jardin. La blonde voudrait retirer ces chaussures qui la forcent à se cambrer. Elle voudrait marcher pieds nus, sentir la douceur sèche de l'herbe jaunie. Elle a envie de pleurer. Un homme s'avance vers elle. Elle ne le connaît pas, il est plus jeune que la moyenne des invités. Il porte une sorte de catogan et, par-dessus sa chemise, un gilet en cuir sans manches. Il a un air de mauvais garçon. Est-ce qu'il fait partie des cow-boys qui travaillent au ranch ? Tommy adore les cow-boys, il rêve de monter à cheval, mais il est encore trop petit, il n'a que huit ans. Pour son anniversaire, le vieux milliardaire lui a offert un poney ! *Un poney !* La blonde était si heureuse. Elle s'accroche à cette idée, elle doit faire bonne figure pour Papa, pour celui qui s'occupe si gentiment d'elle et de son fils.

« Vous avez l'air de vous ennuyer.

— Oh, moi ? Non, pas du tout ! »

Elle doit faire attention à la rumeur. La rumeur va vite au ranch. Elle a déjà commis des erreurs. Le vieux milliardaire a tout pardonné et le cowboy - comment s'appelait-il ? elle a oublié son prénom - a été licencié pour l'exemple. « Pardon, Papa, ce n'était pas ma faute, Papa, promis, je ne recommencerai plus. » Pourquoi s'était-elle laissé faire ?

Nombreux sont ceux qui commenteront son comportement a posteriori. Les plus sévères diront qu'une sorte de « folie sexuelle », c'est le terme qu'ils emploieront, s'était emparée d'elle.

Il faut tenter de se mettre à la place de Vickie. Elle n'est plus cette stripteaseuse d'un bar de la banlieue de Houston qu'on payait pour montrer ses seins ou se frotter contre vous, elle est devenue un objet de désir universel. Un désir à la fois démesuré et asexué, trop large pour être identifiable. Le client de *Chez Gigi* avec sa liasse de billets était *réel* ; le passant dans la rue qui admire la blonde sur l'affiche, le téléspectateur qui la regarde sur l'écran, le lecteur qui déplie la page centrale du magazine, celui-là est trop nombreux, il est *infini*. La blonde est prise de vertige à l'idée de tous ces inconnus qui la veulent. L'adoration qu'elle suscite, quand elle en prend conscience, la retourne. Ces gens, qui l'appellent « chérie », lui disent « je t'aime », ces hommes et ces femmes qui l'embrassent sur la bouche, comme si sa bouche appartenait à tous. Elle est épuisée, elle est une coquille vide. Ils l'ont privée d'elle-même, ils la touchent, la pelotent, la manipulent, la placent et la déplacent. Son corps est épilé, massé, crémé, poudré, maquillé, tordu, cambré. On la fait s'asseoir, s'allonger, on la palpe, on la mate, on la regarde, on lui fait prendre des poses lascives quand tout en elle se tend secrètement. Et soudain, elle explose, n'en peut plus, n'importe qui fera l'affaire. Ce n'était pas tant une folie sexuelle qu'une manière brutale de reprendre possession de son corps, une jouissance animale, sauvage. C'est ce qui s'était passé avec le cow-boy, comment s'appelait-il déjà ? Sam ?

« Ça vous dirait qu'on aille faire un tour ? »

Elle doit se méfier de la rumeur. « Oh, non merci, je préfère rester là », voilà ce qu'elle devrait répondre, mais elle ne comprend plus les mots qui sortent de sa bouche. Elle n'a plus de force, son estomac est noué, elle a seulement bu du champagne et maintenant elle est prise de ricanements. Comme elle est nerveuse ! Est-elle bête ? Après coup, elle dira qu'elle était angoissée, que cette soirée la terrifiait. Qui est cet homme qui lui propose de prendre une pilule ?

« Un petit remontant, pour tromper l'ennui ? »

« Oh, non merci, je ne prends pas de drogue », voilà ce que devrait répondre la fille, mais elle hoche la tête, porte la main à ses lèvres et pouffe.

La soirée ne fait que commencer, les insectes rampants continuent à lui jeter des coups d'œil par en dessous. Elle ne mérite pas qu'on la déteste. Elle ne mérite pas qu'on la méprise ainsi. Elle est gentille, elle n'a jamais fait de mal à personne. Elle voit leurs lèvres outrées se plisser de dégoût, répéter à l'infini *ridicule, affligeante, vulgaire.* Où est Papa ? Il discute avec deux cancrelats. Le vieux, le vénérable excentrique, on lui pardonne, pas à elle. Elle est la grande coupable, la pécheresse, l'embobineuse – « mon Dieu, élever un enfant dans des conditions pareilles ! » –, quand Vickie est si fière, son fils va à l'école avec un chauffeur et il a un poney et il a de bonnes notes ! Elle a fait tout ça pour lui, *bande de cons*, ce que le vieux milliardaire et elle font ne regarde qu'eux. Est-ce qu'elle leur demande ce qu'ils font de leur cul ? Elle est en colère, une rage sourde monte en elle et disparaît aussitôt. Elle desserre les poings, soudain prise d'une envie de rire aux éclats. La pilule produit-elle déjà son effet ? C'est délicieux, le mot qui lui vient est *psychédélique* et ce mot est hilarant. Le monde se met à danser, s'accélère et s'estompe divinement, elle est une toupie qui tourne dans un nuage de ouate.

« C'est quoi ?

— De la mescaline. »

L'homme vient chuchoter à son oreille. Il lui parle de cette poudre de cactus ancestral, des cérémonies des Indiens Navajos, de l'euphorie qui s'emparait d'eux, il lui prédit une sensation de décorporation et tout est *vrai* et distordu, la voix de l'homme comme les milliers de fourmis qui se déplacent en cercles concentriques, tout est vrai et si drôle. Sa vision se brouille merveilleusement.

« Encore du champagne !

— Viens, quittons cet endroit, allons voir les Indiens ! »

Les voitures sont alignées sous le porche, elles attendent silencieuses, leurs carrosseries luisent sous le ciel étoilé. Vickie veut sa Jaguar.

« Où est ma Jaguar ?

— Viens, fuyons, ne te retourne pas, viens avec moi. »

La paume de la main de l'homme est douce, il est grand, il est fort, il saura la protéger. Quelle voiture prendre ? « Nous irons jusqu'en Arizona. » Comme c'est bizarre, la Jaguar a disparu. La blonde a renversé un plateau de petits-fours, sa robe est tachée de choux à la crème. Elle ne peut pas partir, elle n'a pas chanté joyeux anniversaire à son vieux milliardaire, oh, elle n'a pas le temps, c'est dommage, elle doit s'enfuir, et tant pis elle lui chantera demain. Sa robe la serre. Elle voudrait être nue. Est-ce qu'elle porte une petite culotte ? Non ? Oh ! comme c'est *drôle* ! L'homme rit et lui donne une autre pilule.

« Encore ?

— Oui ! C'est mieux d'en prendre deux. »

Son chignon est tout défait.

« C'est moi qui conduis !

— Oh, non, c'est moi, s'il te plaît. »

L'homme est aussi défoncé qu'elle. Lui aussi n'arrête pas de rire. À qui est cette voiture ? Heureusement, le voiturier a laissé les clefs sur le contact. On peut bien s'amuser, pour une fois. La poupée ne sait pas faire la fête, quand les autres font la fête, elle *travaille*. Elle est une fille courageuse, elle n'a que vingt-cinq ans. Et elle conduit une Ferrari. C'est une Ferrari rouge, *waouh* ! Elle va si vite qu'ils sont déjà sur l'autoroute, et la Voie lactée leur cligne un millier de fois l'œil.

Ses doigts se crispent sur le volant. Sa poitrine se gonfle. L'homme a passé une main sur ses genoux et remonte avidement entre ses cuisses. La robe est trop serrée, il faut l'arracher. Son rire est sardonique, guttural. Est-ce que c'est une voiture de police derrière eux ? « Accélère, accélère, Vickie ! » Oh, comme on rigole, elle gémit, elle n'a jamais autant ri de sa vie, à en avoir mal à la mâchoire, elle se crispe. La voiture de police a mis sa sirène, ça hurle « arrêtez votre véhicule et mettez-vous sur le bas-côté ! ». Elle est prise d'une nausée terrible. « T'arrête pas, chérie, t'arrête pas, montre-leur à ces enculés de flics ! » Elle s'agrippe au volant, son estomac se serre, sa cage thoracique va exploser. La sirène se rapproche, il y a trop de lumières, elle hoquette, un goût acide vient cogner son palais, alors, dans une odeur de bile rance, elle vomit du champagne, une écume saumâtre se répand sur sa robe rose, la voiture fait une embardée, les roues se bloquent dans un crissement *aigu*, et la nuit les engloutit.

Du jour au lendemain, les chiens sont lâchés. La fille se retrouve en couverture de toute la presse à scandale. Elle n'est plus la blonde parfaite, la *star*, elle est la droguée, l'ivrogne, l'irresponsable, le danger public, la chauffarde débraillée avec ses cheveux en pagaille et des ecchymoses pour la défigurer. Elle n'est plus la chérie, la poupée, sa vie n'est plus un conte de fées. Fini la jeune maman courageuse qui préservait sa vie privée, préférait ne pas parler de son petit ami – la marque de vêtement dont elle ne sera plus l'égérie voyait d'un mauvais œil sa relation avec le vieux milliardaire. Désormais, elle est la perverse, la lolita qui se tape un riche croulant qui a l'âge d'être son grand-père, et elle le trompe avec le premier venu le soir même de son anniversaire ! Elle l'a laissé souffler ses bougies tout seul et c'est encore lui qui est allé la chercher au commissariat et a payé sa caution. Elle est monstrueuse.

Terminés les contrats et les voyages vers les mers azurées, les interviews et les autographes. Tout est arrivé si vite. « Pardon, Papa, ce n'était pas ma faute, Papa, promis je ne recommencerai plus. » Le vieux milliardaire, le tigre en affaires, le rusé renard prend sa blonde dans les bras, la serre fort contre son cœur et la demande en mariage. Elle refuse.

« Mais pourquoi ?

— Non, Papa, les gens ne comprendraient pas.

— Je me fous royalement de ce que les gens peuvent penser.

— Pas moi.

— Tu as besoin de moi, ma poupée, tu as besoin qu'on vous protège, toi et Tom. Tu es une belle personne, Vickie, tu es simplement fragile. Un grand, un magnifique destin t'attend car tu es exceptionnelle, seulement ce ne sera pas facile et tu pourras tout perdre, comme aujourd'hui. Alors, il faudra que tu puisses te relever pour repartir au combat. Je ne serai pas éternel, si tu me laisses t'épouser, Tom et toi serez à l'abri pour toujours. Ça me rendrait vraiment heureux de savoir que j'ai fait ça dans ma vie, Vickie, ma poupée, dis-moi oui. »

## 6.

Quand elle repensera à cette période des années plus tard, elle dira sans mentir que ce fut la plus heureuse de sa vie. Une pause, une halte dans un tourbillon de turpitudes, un moment où elle put être *exactement* elle-même. Au fond, la blonde à forte poitrine se foutait de la célébrité. Ceux qui sont convaincus qu'elle cherchait avant tout l'admiration du plus grand nombre, les fans, les paillettes et les crépitements des flashs se trompent. Elle voulait être *aimée*, entourée et choyée. La célébrité procure parfois l'illusion de cela.

Après son mariage, la fille est obligée de vivre recluse pour échapper au lynchage de la presse. Une stripteaseuse de vingt-six ans qui épouse un milliardaire de quatre-vingt-neuf ans bat trop de records. Elle demande trop d'imagination, même aux gens les mieux intentionnés. Ceux-là disent « non, enfin, s'il voulait les mettre à l'abri elle et son fils, ce que l'on peut concevoir, il n'avait qu'à l'adopter, pas l'épouser ! ». Ceux-là, les tolérants, ne peuvent pas comprendre. « De l'affection, oui, du désir, non ! »

Pourtant, le vieil homme aime enfouir sa tête entre les seins de la fille et l'appeler « ma femme, mon amour, mon aimée ». Elle sait le caresser et elle sait le faire jouir. Désormais, tous les soirs, ils s'endorment dans le même lit et le vieux milliardaire est heureux, tellement heureux que la blonde soit sienne. Ce fut un beau mariage, jamais on n'avait vu de mariée plus blonde ni plus meringuée. Une fois encore, la presse à scandale s'était délectée. Des photos volées – ou plutôt revendues par des invités peu scrupuleux, « laisse-les faire, laisse-les dire, ma poupée » – étalent leurs sourires radieux en couverture de journaux nationaux.

Toute l'Amérique se passionne pour ce couple hors normes et ceux qui n'en rient pas pleurent de rage. Le fils, la belle-fille, par exemple, ne trouvent pas cela drôle du tout, d'autant plus que Papa a si bien tourné le contrat de mariage que Vickie partira avec une très grosse part du gâteau quand son heure aura sonné. Elle et Tommy, sains et saufs pour toujours, son mari le lui a promis.

Ils sont en lune de miel à Bali. « Oh, comme c'est beau, Papa ! » Et la vie est douce et suave et sucrée comme une papaye mûre. Elle joue avec son fils sur la plage, elle porte un paréo, elle a accroché une fleur dans ses cheveux, elle n'a jamais été aussi belle, le vieux marié la regarde avec adoration. Les reflets roses et orangés des couchers de soleil, « oh, comme c'est beau, Papa ! », les émerveillent. Le soir, ils boivent des cocktails à l'ananas et le vieux milliardaire plisse ses yeux de miel et raconte comment il était devenu un tigre en affaires, il veut lui apprendre toutes ses ruses, il veut qu'elle soit prête.

Tommy a pris de belles couleurs et se régale de nouilles sautées qui ont un goût de cacahuètes grillées. Toute la journée, il se jette dans la piscine en poussant des cris de joie. « Maman ! Papa ! Regardez-moi ! Regardez comme je sais plonger ! » Jamais elle n'oubliera l'image de son petit garçon, les lèvres bleuies par le froid à force d'être resté trop longtemps dans l'eau, et comment elle l'entourait d'une immense serviette et lui frottait énergiquement le dos pour le réchauffer. « Mon grand bébé, comme tu es grand ! »

Les cheveux mouillés de l'enfant ruissellent sur sa peau à elle, toute chaude de soleil. Elle serre le plus fort qu'elle peut la masse chétive de son fils emmailloté comme un nourrisson, à nouveau blotti contre elle, l'embrasse, claque de gros baisers sur le tissu-éponge. À peine séché, l'enfant se dégage et s'installe avec un livre à l'ombre d'un parasol. « Arrête de lire, Tommy, vient plutôt jouer avec maman ! » Elle soupire. « Toujours à lire, ce gosse ! » Alors, le vieux milliardaire la coupe net « Tom est très intelligent, Vickie, il faudra qu'il fasse de bonnes études, ça doit être ta priorité, tu comprends, ma poupée, promets-moi… ». Vickie déteste quand le vieux milliardaire lui demande de promettre, elle sait ce que cela sous-entend, ce qui se passera ensuite, quand il les aura quittés. Elle ne veut pas y penser.

Ils dînent sous les étoiles, face à la mer. C'est si *romantique*, mieux qu'un conte de fées. Le vieux milliardaire lui raconte sa jeunesse, puis réalise qu'il parle d'un autre temps, d'un temps qui ne reviendra plus. Il s'arrête et regarde Vickie avec tristesse, « tu as la vie devant toi, ne la gâche pas ». Un soir, ils ont pleuré, pareils à deux petits enfants qui ont peur du noir. Ces prises de conscience du caractère tardif pour l'un, éphémère pour l'autre de leur bonheur s'assortissent de grands moments d'euphorie, Vickie fait rire son amoureux aux larmes et elle adore cela. Elle en rajoute, sachant que son côté *bonne fille ingénue* le fait fondre. Ils restent un mois à se dorer ainsi sous le soleil balinais. Puis le pays commence à leur manquer.

« C'est bon les gambas avec leur citron vert machin, mais je préfère les travers de porc à la sauce barbecue.

— Tu es bien une fille de Fairfield, toi. »

Alors, ils reviennent au ranch. Les choses semblent moins effrayantes. La hauteur démesurée de la porte d'entrée, le nombre de chambres. Elle a moins mal quand elle inspire, elle est apaisée. Derrière leurs clôtures, les longues cornes des vaches sont douces et leurs museaux luisants mâchonnent les brins d'herbe avec une placidité rassurante. Les cow-boys n'attirent plus la fille, elle est une épouse fidèle. Une main tenant les doigts noueux et secs de son milliardaire, l'autre la main légère comme une feuille de papier de son enfant, elle est heureuse. Le bonheur de ces deux hommes suffit au sien.

De toute façon, on ne veut plus d'elle. Elle pense faire retirer ses prothèses pour les remplacer par de plus petites qui lui feraient moins mal au dos. Papa ne veut pas en entendre parler, il sait trop que les seins de sa blonde seront la clef de sa réussite. Leur force d'attraction est fabuleuse. Elle ne doit pas faire de bruit, accepter de souffrir un peu, rester tapie dans l'ombre, attendre que ces histoires de conduite en état d'ivresse et de mariage contre nature se tassent, alors, il en est certain, pour une marque de lingerie ou un shampoing, on la fera revenir sur le devant de la scène. Elle doit se tenir prête et garder sa poitrine spectaculaire.

Elle retrouve une vie saine, reprend un peu de poids, redevient cette blonde grasse et fraîche, pleine de santé. Elle se laisse pousser les cheveux, ne les teint plus de ce blond-blanc qui lui donnait des airs de fée rose. Elle redevient texane, porte des petits shorts en jean, des santiags et des tee-shirts un peu amples. Ses cheveux dorés flottent dans le vent chaud du sud. Elle fait de grandes balades avec Tom car ils adorent la nature, l'équitation et même le jardinage.

Tom s'est mis en tête de planter des potirons pour Halloween. Ils sont allés acheter des graines au magasin, beaucoup.

« Il y… y en aura bien… bien une qui ger… germera. »

Le jardinier bégaie légèrement derrière sa moustache grise très touffue. Il a du mal à regarder la fille dans les yeux. Il tend un râteau au garçon. La terre du ranch n'est pas idéale pour faire pousser des courges, mais l'enthousiasme de la mère et de l'enfant est communicatif. Ils arrachent les mauvaises herbes, grattent le sol, le sable vient se nicher sous les ongles manucurés de la blonde, les petits doigts de Tom deviennent noirs. À genoux dans la poussière, ils s'appliquent, en silence, la tête vidée de tout tracas.

Le jardinier verse de l'eau pour faciliter la tâche à l'enfant, qui enfonce les mains dans la terre avec délectation ; il observe attentivement la formation des grumeaux rouges, retire un à un les cailloux. Un monde d'aspérités innombrables, de ramifications infinies se découvre sous ses yeux ébaubis. Les fourmis, les vers de terre, des insectes microscopiques dont il ignore le nom, ces choses cachées se révèlent, c'est comme s'il prenait soudain conscience de la complexité de la vie. Si une tige semble fragile et lui arrive à peine aux chevilles, elle résiste pourtant lorsqu'il tente de la déterrer : elle est si lisse qu'elle glisse entre ses poings fermés. Elle crisse. Le petit garçon tire maintenant de toutes ses forces, et la plante emporte, entre les filaments de ses minuscules racines – fines comme des *cheveux* –, une masse de terre, agglutinée à des avortons de cailloux, totalement disproportionnée.

Émerveillé et sérieux – car l'enfant prend tout sérieusement –, au fur et à mesure des jours qui passent, il s'applique, mesure, trace des sillons et repique les plants d'un vert tendre en rêvant à des citrouilles gigantesques, comme celles que l'on voit au concours du plus gros potiron des États-Unis. Il s'imagine gagnant du titre, on l'appelle sur le podium, le vieux milliardaire est au premier rang, il l'applaudit, sa mère aussi est là, mais différente. Elle ne ressemble pas à cette *blonde*, tous ne se retournent pas sur son passage, elle est habillée normalement, elle est pareille aux autres mères, et comme il l'aime ! Son visage n'est plus le même, elle a pris les traits de la maîtresse d'école, elle applaudit son fils à tout rompre, les gens regardent le garçon et sa citrouille, personne ne remarque sa mère, personne ne chuchote « il est le fils de *cette femme* ». Il est celui qui a réussi à faire pousser ce gigantesque légume orange, bravo Tommy !

Sous l'œil moustachu du jardinier, la fille penche doucement la tête de l'arrosoir.

« Les cour… rges ont besoin de beau… beaucoup de so… soleil et de beau… coup d'eau. »

À quoi rêve-t-elle ? Se rend-elle compte que son fils a honte d'elle ? C'est terrible d'être un fils de pute. Elle est ce qu'il a de plus cher au monde pourtant. Ils étaient si heureux à Bali.

*Ta mère la pute.*

Tommy compte les feuilles. Elles sont d'un vert profond, les mois ont passé et le jardinier est satisfait. Les plants ont bien pris.

« Oh… oh… oui, pour sû… sûr, nous aurons des po… potir… rons pour Halloween. »

Lorsque la tige principale porte quatre vraies feuilles, il faut étêter après la deuxième ; pour les rameaux latéraux, tailler après la cinquième feuille quand ils en ont huit. Il ne faut pas se tromper. Les mots *rameaux* et *latéraux* suffisent à emplir Tom de joie. À l'école, c'est toujours lui qui a les meilleures notes en vocabulaire. Il verse l'engrais qu'il a fabriqué lui-même avec le jardinier. Les doses et les ingrédients qui constituent cette mixture sont connus d'eux seuls.

« C'est un se… secret. »

Quand les potirons tant attendus apparaissent, il faut mettre de la paille dessous pour éviter l'humidité. Tommy soulève délicatement chaque fruit. C'est un grand travail. En secret, il espère qu'il pleuve tous les jours pour devoir changer la paille. La plupart du temps, il marche jusqu'au potager et s'assied en tailleur, il reste de longs moments à les regarder, se perd dans la contemplation de leurs entrelacs feuillus, admire la raideur croquante des tiges et passe un doigt léger sur le duvet hérissé – presque piquant – des feuilles d'un vert sombre. À certains, qui semblent prometteurs, il a même donné des noms, il leur parle, les encourage et, quand il est très concentré, il les *voit* grossir et grandir, s'étirer, se transformer.

D'ordinaire, le vieux milliardaire ne va pas à l'hôpital. Il est reçu par son médecin à son cabinet. Un cabinet cossu, avec de la moquette, des tapis, des boiseries, pas un bureau blanc et froid avec un sol en linoléum moucheté gris.

« Nous n'allons pas te mentir, les nouvelles ne sont pas bonnes. »

Ils se connaissent depuis quarante ans. Normalement, le médecin appelle directement le vieux milliardaire pour lui donner le résultat de ses analyses. Cette fois-ci, c'est la secrétaire médicale qui lui a donné rendez-vous, à l'hôpital. Et maintenant, assis dans cette salle d'attente impersonnelle qui sent le désinfectant et le remugle, le vieux milliardaire a peur.

Le médecin le reçoit avec un autre docteur, un professeur – un spécialiste. Le patient les regarde et ils le regardent.

« Pas bonnes comment ? »

Le médecin marque un temps.

« Je t'ai toujours dit la vérité, n'est-ce pas ? »

Le vieux milliardaire hoche la tête en silence.

« Toi et moi sommes de vieux amis, n'est-ce pas ? Et nous ne sommes plus des enfants. »

La tête lui tourne, les deux docteurs se mettent à tanguer, tout valse devant ses yeux, les phrases qui suivent lui arrivent par bribes, « ce sera dur à entendre… c'est difficile à admettre… c'est la vie ». Il a l'impression d'être un de ces papillons de nuit qui viennent se cogner aux carreaux, attirés par la lumière et dont les ailes tremblent de toutes leurs forces pour se frayer un passage dans l'impossible. « On ne peut rien faire… il faut voir les choses en face… cela demande beaucoup de courage… tu dois écouter les conseils des vieux amis. » Ces papillons qui, bien qu'ils se soient heurtés à la dureté de la vitre deux, cinq, vingt, trente fois, reviennent obstinément y cogner leurs frêles membranes.

Le professeur corrige son collègue.

« C'est très incertain, mais on peut quand même tenter quelque chose. »

L'espoir fait battre le cœur du milliardaire.

« Non, il faut être raisonnable, ces traitements sont très lourds. Est-ce ainsi que tu veux passer les derniers mois de ta vie ? À vomir tes tripes ? À attendre des résultats qui n'y changeront rien de toute façon, c'est inéluctable ? »

Le médecin a haussé la voix, il est presque en colère. S'il était à sa place... C'est toujours plus facile d'être courageux à la place des autres, là n'est pas le problème. « Moi, à ta place... » Le malade est pris de vertige, il ne veut plus rien entendre, il ne veut pas mourir, il veut continuer à aimer la blonde.

Le professeur semble formel. « On peut rallonger un peu l'espérance... C'est tout ce qu'on a à vous proposer. » L'autre reprend la parole, va-t-il se fâcher pour de bon ? « Profite des mois qui te restent, ne dis rien à personne, prépare ta sortie dignement, vis comme tu l'entends. »

Le médecin s'adresse au vaillant, au courageux, au félin. Mais le vieux milliardaire a cessé d'être un tigre à l'instant même. Il est déchiré à l'idée de les abandonner, le petit garçon blond et sa mère. Ils sont si fragiles et il ne pourra plus les protéger.

« Combien ? » Avant, il était redoutable en affaires, quand il demandait combien, il savait qu'une offre est par essence négociable ; ce chiffre-ci ne le sera pas. Les médecins sont catégoriques, ils sont les meilleurs médecins du Texas, peut-être même des États-Unis d'Amérique, autant dire du monde. Il n'y a rien à faire.

« Six mois ?

— Maximum. C'est une prévision optimiste. »

Il est furieux - un dernier feulement secoue sa colonne vertébrale -, furieux contre ce cancer. Il rentre chez lui avec son chauffeur. À quoi bon avoir un chauffeur quand on va mourir ? Il ne le dira pas à Vickie, s'est rendu à l'évidence, ne fera pas de chimiothérapie, attendra la mort bien sagement dans son lit, aidé par la fée morphine. Ils lui ont promis qu'il ne souffrirait pas. Il rentre chez lui, il ne le dira à personne.

À peine passé la porte colossale, il se précipite dans les seins de la blonde, éclate en sanglots et avoue tout. Elle l'embrasse doucement et caresse son crâne chauve, il est son bébé, elle y pense car *les bébés aussi sont chauves.*

Le temps va passer vite. On lui pose une sonde pour uriner, la poche en plastique est accrochée avec une pince le long de son pantalon, il marche encore. On a embauché une infirmière, elle voit la blonde d'un mauvais œil, a son opinion sur la question avant même de l'avoir rencontrée. Pourtant, elle est attendrie - c'est le mot que la dame emploiera elle-même plus tard, au procès - par la façon dont la jeune femme reste au chevet du vieil homme, des heures durant, et par les éclairs de terreur qui traversent son visage. Et quand la blonde se met en tête de faire rire le vieux, qu'elle joue les ingénues, les fofolles, dit des bêtises ou de grosses cochonneries, l'infirmière ne peut s'empêcher de sourire.

Il est de plus en plus fatigué, a perdu l'appétit, préfère rester allongé, son état se dégrade à une vitesse alarmante. L'infirmière est toujours à son côté. Maintenant, elle annonce qu'il ne reste plus que quelques semaines au vieil amoureux. Alors, la poupée redouble d'inventivité pour le divertir. « Je pourrais mettre de la musique fort ? Je voudrais lui faire une surprise. » Elle va lui faire un striptease. N'importe qui trouverait ça déplacé et inconvenant, mais que pourrait-elle faire d'autre pour plaire à son mari ? L'infirmière les laisse seuls. La musique démarre derrière les portes closes. Bercé par la morphine, le vieux sourit, du tréfonds de sa nébuleuse, il sourit de voir sa femme si belle s'offrir à lui, retirer ses dentelles, s'effeuiller, pétale après pétale, *ma rose, ma chérie.* L'ange blond agite ses voiles devant les yeux mi-clos du vieillard, le masque de la mort imprimé sur son visage depuis quelques jours se détend, il rit pour la dernière fois. À la fin de la chanson, il lui souffle « merci, ma femme, mon amour, je n'ai plus peur de mourir maintenant, je sais à quoi ressemble le paradis ».

On augmente les doses de morphine, la souffrance ne le lâche plus. On le fait partir en douceur. Tout en lui se ralentit, il flotte, se noie, se laisse immerger dans des eaux noires et profondes. Tous les matins, le petit Tom vient l'embrasser avant de partir pour l'école et le vieux Papa lui dit d'une voix saccadée, à peine audible, « promets-moi de très bien travailler ». L'enfant promet. Il dépose un léger baiser sur le front du vieil homme recroquevillé dans son lit. Il paraît aussi petit que Tommy maintenant, il rétrécit tant qu'il s'enfonce entre les coussins, il est englouti.

Son fils vient le voir quotidiennement. Sa belle-fille vient aussi, moins souvent, elle ressort de la chambre les yeux rougis par les larmes. La blonde s'éclipse pour ne pas les déranger, les laisse *entre adultes*, le fils refuse de rencontrer le regard de la blonde. Il y a très peu d'autres visites, on protège le patient, le médecin dit que cela le fatigue. Cependant, le notaire est passé, à deux reprises, il faut penser à partir en règle.

On le met sous oxygène. Le bruit de la machine se mêle au souffle rauque du malade. La fille respire parfaitement bien, elle est calme, incroyablement, tient la main de son mari dans la sienne et, de l'extérieur, on pourrait croire qu'elle assiste au spectacle de l'effondrement de son monde comme s'il s'agissait d'une chose qui la concerne à peine. En vérité, elle refuse de voir ce qui est en train de se passer et, pour l'occulter parfaitement, elle consacre toute son énergie à *accompagner*, elle n'a pas d'autre pensée ni même de volonté.

Son vieux milliardaire lui a confié qu'il avait peur de mourir, qu'il tenait à la vie. Son intuition la guide vers ses seins, elle ressent de manière confuse que pour le vieil homme, ce qu'il appelle *la vie* tient dans le corsage de sa femme, dans la soie de cette peau de pêche, dans les palpitations qui l'agitent subrepticement.

Chaque jour, il se rapproche davantage de cette paire de globes doux et chauds, il finit presque collé à elle, la fille doit se pencher complètement sur le lit pour que le vieillard puisse se lover contre cette source de bonheur, il y puise ses dernières forces, celles qui lui donneront le peu d'élan qu'il lui faudra quand il s'agira de franchir le grand fossé. La blonde et l'infirmière échangent de longs regards, la fille admire la sérénité, le calme qui se dégagent de la nurse. Quand elle dansait *Chez Gigi*, elle avait parfois porté de ces blouses blanches avec la calotte assortie, déguisée en infirmière sexy, mon Dieu, si elle avait su ! Le vieil homme n'arrive plus à boire. On lui a posé une perfusion. Il somnole sans discontinuer maintenant, il a peut-être des hallucinations visuelles heureuses ou effrayantes, qui sait ? Son corps est parfaitement immobile, seules ses paupières sont parcourues de soubresauts.

L'été touche à sa fin, dehors il fait une chaleur accablante, un orage se prépare à l'horizon. Le ciel boursouflé de nuages s'assombrit. À cet instant, le petit Tom rentre de l'école, le chauffeur accélère, ils doivent se dépêcher d'arriver au ranch avant que la pluie n'éclate. Soudain, les cieux sont déchirés par un rai de lumière. Un pressentiment s'empare du garçon. Un grondement terrible se fait entendre, Tom pousse un cri perçant. Le chauffeur tente de le rassurer, ce n'est qu'un orage, il n'a rien à craindre. Les orages sont parfois d'une grande violence au Texas.

Maintenant, de grosses gouttes s'abattent sur le pare-brise. L'enfant se met à pleurer, il a compris, il sait. La pluie diluvienne noie la route, pose un filtre blanc sur le paysage, on croirait la voiture prise dans les bouillons d'une cascade. Le cœur de Tom se serre en silence et ses larmes redoublent.

Quand la voiture arrive enfin devant la grande maison, il n'attend même pas qu'elle soit garée, non, il ouvre la portière et s'élance sous des trombes d'eau. Le chauffeur imagine qu'il ira se réfugier sous le porche, mais il voit l'enfant courir dans la direction opposée. « Tom ! Tom ! Rentre à la maison immédiatement ! » Le petit garçon continue à courir sous un ciel noirci.

Le vent se lève. Serait-ce un ouragan ? On a fermé tous les volets. Tommy fait le tour par la droite et disparaît. Le chauffeur crie encore « Tom ! Arrête ! Reviens ! ». Tommy court, ses petits pieds sont pleins de boue, la pluie plaque ses cheveux et l'eau ruisselle sur son visage. Des éclairs comme des flashs se rapprochent, l'enfant lutte presque contre le vent qui le repousse vers la bâtisse, jamais les éléments ne se sont déchaînés ainsi. Le chauffeur veut le rattraper, mais l'enfant n'est plus qu'un point au loin, il traverse la pelouse en vacillant, il se dirige vers le potager.

Trempé, le cœur noyé de chagrin, Tom espère qu'il pourra sauver quelque chose, les protéger avec ses mains d'enfant, empêcher que l'irréparable, l'irréversible, tout ce à quoi il tient ne disparaisse. Lorsqu'il arrive, c'est trop tard. Il tombe à genoux devant les plants de potiron ravagés par la tempête. Les feuilles sont grêlées, les tiges déchirées, les fruits défoncés, de la bouillie, de la charpie, voilà ce qu'il reste de sa patience et de son travail, des feuilles qu'il avait comptées amoureusement, pour rien. Tout est gâché, fini, perdu, l'enfant sait que c'est la fin des jours heureux. Ils n'auront pas de citrouilles pour Halloween.

# 7.

Il faut comprendre le fils du milliardaire. Il faut se représenter la violence imposée par le père à son fils. Sa mère, l'idole, avait de nombreuses fois été insultée, bien que le père eût tenté de rester discret sur ses infidélités. Le fils n'est pas méchant, c'est un être froid. Il s'est souvent demandé « est-ce que maman a été heureuse ? » ; il ne l'a jamais vue pleurer.

En revanche, sa femme pleure énormément. Quand il voit sa peau de brune, si sèche, se mettre à luire comme celle d'un lézard, les joues creusées par deux ruisseaux salés, et le chemin tortueux que se frayent les gouttes entre les rides pour descendre dans son cou, il pense au fanon des iguanes, à cette membrane située sous la gorge qui se déploie pour donner à l'animal un aspect plus imposant. Il regarde le goitre de sa femme éplorée ceinturé par ses colliers de perles, il l'imagine prêt à se gonfler de fiel pour détruire l'adversaire par un verbiage mastiqué, un mélange de salive et de larmes acides.

Avec l'âge, elle est devenue agressive, irascible. Elle éclate en sanglots pour un rien. Il doit la fuir dans ces moments, il ne sait pas comment affronter tant de failles, il s'affole à l'idée de se perdre dans les sillons humides tracés sur les bajoues écailleuses de sa femme. Elle lit beaucoup trop de ces livres qui promettent des solutions à des situations désespérées, des livres de « développement personnel », c'est ainsi qu'on les nomme : *Savoir dire non* ; *Le Bonheur, c'est maintenant* ; *Retrouver la sérénité intérieure* ; *L'Apaisement par la thérapie des sons*. Sur les couvertures aux couleurs contrastées, les titres sont écrits en énorme, il fait semblant de ne pas les voir.

Ils n'ont pas pu avoir d'enfants et ont décidé de ne pas en adopter. Lui est fils unique. Ils ont de nombreux amis. Sa femme n'est pas oisive, cependant elle n'a pas une carrière à proprement parler, elle s'occupe d'œuvres de bienfaisance. Sa vie est peuplée de bonnes actions, en partenariat avec le corps de ballet de l'Opéra de Houston, elle milite pour l'apprentissage des disciplines artistiques dès le plus jeune âge, elle lutte contre l'obésité. Elle a beaucoup grossi après la ménopause. Sont-ils tristes de ne pas être parents ? Ils ont eu une vie intéressante, beaucoup voyagé. Il lui donne de l'affection, un peu. Est-ce que ce genre de choses se mesure ? Ils vont à l'église tous les dimanches, comme beaucoup d'Américains. La question ne se pose plus. Ils croient en Dieu, mais aiment surtout la communauté qu'ils forment. Que pourraient-ils faire d'autre le dimanche matin ? L'amour ? Le matin ? *Mal baisée, aigri, frustrés.*

Le fils refuse d'admettre la violence sexuelle que son père lui a infligée. Le voir si vieux avec cette blonde qui n'est que ça, cette blonde qui pue le sexe, c'est intolérable, il peut à peine la regarder. Oui, il pense à sa mère, et à autre chose aussi. Sa femme le ressent, de manière viscérale. Depuis le mariage, les autres parlent d'argent. Ils ont prédit que la blonde prendrait tout l'argent du fils. Alors qu'il lui revient légitimement. Lui et sa femme sont des mécènes, des philanthropes, quand cette blonde va faire n'importe quoi, elle va dilapider une fortune qu'elle n'a pas gagnée ! Et pourtant, l'argent n'est pas le problème, même si c'est le masque qu'il revêtira par la suite. Au procès, on ne parlera que d'argent. Si on lui posait la question brutalement, il avouerait peut-être que « le problème, c'est cette blonde, avec son petit garçon blond, cette fille féconde, fertile, avec ses gros seins, cette fille que mon père baise, cette fille qui fait bander mon père. C'est cette fille scandaleuse ». Le fils veut se venger et l'argent est le meilleur moyen, le moyen le plus respectable pour anéantir la fille, le plus évident pour lui faire du mal.

Au début, personne n'y avait cru, sauf lui. Les premiers mois, les amis du vieux milliardaire et du fils prenaient la chose en rigolant. « Il est impayable ton paternel ! Oh ! il exagère ! » disaient-ils en souriant aux étoiles. « Ah ! c'est une folie, une passade. » Mais le fils savait. Il a tout de suite imaginé que son père épouserait la fille, bien avant qu'elle ne devienne playmate ou ne s'installe au ranch. Son intuition lui soufflait que son père finirait par se remarier, une quatrième fois. Une haine mâtinée de dégoût faisait frémir ses narines, pareilles aux naseaux fumants du cheval à l'approche du danger, les oreilles dressées, un sabot grattant mécaniquement le sol, il hochait la tête et tentait de recouvrer son calme, « ne nous moquons pas d'elle, méfions-nous plutôt, Papa est une proie facile… et consentante ».

*Naïve, candide.* La fille ne prévoit pas la laideur. Ce n'est pas dans son tempérament. La plupart des gens la choquent, *vachement.* Au plus proche des vices des hommes, elle reste prise au dépourvu. La nature humaine la laisse désemparée. Elle ne peut imaginer aucune machination, aucune arrière-pensée, aucun calcul. *Naïve, candide, bête.* Elle n'a pas prévu ce qui se passerait après la mort de son mari. Il lui avait promis qu'elle et Tommy seraient en *sécurité*, c'était son souhait le plus cher, c'était pour cela qu'il l'avait épousée, *te protéger jusqu'après la mort.* La fille pense que c'est une chose acquise, non négociable. Elle s'en réjouissait avec franchise, au moins, Tommy et elle auraient des sous. Elle n'avait pas demandé les termes, ignorait si elle hériterait du ranch ou d'une grosse somme, n'était pas rentrée dans les détails. N'avait-elle pas été une bonne épouse ? N'avait-elle pas bercé son mari contre son cœur jusqu'à son dernier souffle ? Pleuré son mari avec de vraies larmes ? *Naïve, bête, conne.*

Papa est mort dans les bras de sa poupée. Il est mort avant l'orage. Depuis combien de temps garde-t-elle ce corps raide contre ses seins chaleureux ? Quand elle relève la tête, la blonde voit le fils dans l'embrasure de la porte. La silhouette chétive et voûtée se découpe de manière presque irréelle. Il dit, sans émotion, « je t'attends dans mon bureau ». La fille doit refréner son élan. Papa est mort, elle voudrait courir vers le fils, le prendre dans ses bras et crier « oh, c'est terrible, Papa est mort ! ». Ne sont-ils pas frère et sœur de souffrance ? Mais le fils se redresse autant qu'il peut et sa bouche se plisse dans un rictus mauvais. Elle quitte le lit du vieillard, ses gestes sont lents, comme si elle craignait de le réveiller. Elle n'arrive pas à discerner les sentiments contraires qui l'agitent. La chambre devient floue, seul le fils se dessine nettement et retient toute son attention. Elle marche vers lui, hypnotisée, le suit jusque dans le bureau du vieux milliardaire. *Où est Tom ?* Le fils s'assied dans le fauteuil de son père, tire un carnet de chèques de la poche de son blazer, le pose bien à plat sur le sous-main en cuir, attrape un stylo à bille et écrit. La fille reste debout, absente, figée, à peine capable de saisir le sens de la scène qui se déroule sous ses yeux. *Dix mille dollars.* Le fils lui tend le chèque avec morgue.

« Maintenant, va-t'en. Toi et ton môme, dégagez ! »

La fille attend, interdite. Ce n'est pas comme lorsque Danny et son père l'avaient chassée. La colère du fils est glaciale, les mots qui sont sortis de sa bouche sont à peine audibles, mais nets, comme la tranche d'un couteau.

Qui a prévenu le fils ? Comment a-t-il fait pour arriver si vite ? Les yeux impitoyables de l'homme se posent sur la peau chaude de la blonde. *Où est Tommy ?* Faut-il qu'elle fasse sa valise ? Elle est totalement abasourdie. Son vieux milliardaire est mort, lui a-t-elle dit au revoir ? La maison est plongée dans l'obscurité, il semble qu'on ait fermé tous les volets. Dehors, un orage terrible a éclaté. Elle aime la sensation de ses pieds nus sur la moquette, est-ce que le fils a parlé ? *Dégage, maintenant !* Est-ce qu'il a dit « sale pute » ? Est-ce qu'elle a entendu *sale pute* ? Elle prend le chèque sans réfléchir, le tient dans son poing serré. Elle descend les escaliers, est prise de vertige, se retient à la rambarde, un mal atroce lui défonce la cage thoracique. Tom est là, trempé, bouleversé. Elle se précipite vers son enfant.

« Mon trésor, Tommy, mon bébé, qu'est-ce qui se passe ? »

La fille tombe à genoux et serre l'enfant dans ses bras, le petit enfouit sa tête dans les cheveux blonds de sa mère et sanglote.

« C'est terrible, maman !

— Oui, je sais, je sais. »

La mère hagarde prend son enfant par la main. « On s'en va, mon chéri. »

*Candide, naïve.* Ils regardent des dessins animés, la mère et le fils, allongés sur le mince dessus-de-lit. Le tissu est un imprimé de grosses fleurs dans les tons pastel, il râpe un peu les cuisses de la blonde. Les murs sont décrépis, c'est une vieille télévision. Quand elle a pressé le gros bouton rouge en plastique, il collait. Il collait des anciens doigts sucrés et graisseux qui l'avaient poussé d'avant en arrière. Tout dans cette chambre est usé, dégradé et sali. Qu'allaient-ils devenir ? Elle doit faire un effort pour se souvenir comment ils ont atterri ici. À partir du moment où le fils lui a tendu le chèque, elle a perdu toute notion d'espace et de temps. *Toi et ton môme, dégagez.* Elle s'est décorporée. C'est le chauffeur qui les a déposés au motel. Elle serre son chèque dans la main. Elle doit se raccrocher à une réalité physique. Le chauffeur a dit qu'il s'occuperait de leurs valises et les leur apporterait. Elle n'a pas pu faire ses adieux à l'infirmière. Combien de minutes, d'heures se sont écoulées ? Depuis combien de jours était-elle au chevet du vieux milliardaire ? Est-ce que Tommy ira à l'école demain ? En bus ? Avec quels vêtements ? Comment lui préparer sa lunch box ? Où est son cartable ? Ces considérations matérielles lui semblent des abysses insurmontables.

Elle fixe l'écran de télévision, les couleurs vives s'agitent, des personnages jaunes, rouges, verts rient aux éclats. Elle s'accroche au bras de Tommy. Que vont-ils devenir ? Elle descend dans le lobby, le réceptionniste lui annonce qu'il peut leur commander une pizza. Elle remonte dans sa chambre, ils attendent maintenant. Elle réalise qu'elle n'a pas d'argent pour payer, elle est partie sans son sac, il est trop tard, la pizza doit être en route, la blonde n'a plus la force de rien. Elle remarque le chèque de dix mille dollars encore plié en quatre, posé sur la table de nuit.

Elle promet au livreur qu'elle paiera demain. « Non ? » Il refuse, elle doit s'arranger avec l'hôtel, redescendre à la réception. Elle ne va pas tenir, ses jambes la portent à peine, ses longues jambes de mutante. Le livreur de pizzas et le réceptionniste font une drôle de tête. Les jambes de la blonde sont célèbres et elle porte un short très court. L'hôtel accepte de mettre la pizza sur sa note. Elle réglera plus tard. Elle ira à la banque déposer le chèque et après ? Les rires des dessins animés. La mère dit à son petit garçon « mange ! » d'un ton désespéré. Elle ne veut pas y penser, trouvera bien une solution. Elle a toujours eu de la chance.

On frappe à la porte, ses valises sont arrivées, son sac à main, sa trousse de toilette, ses médicaments. Il faut réussir à saisir ce qui se passe. Elle gobe deux Témazépam et un somnifère. Il faut dormir. Le peu de forces qu'il lui reste l'abandonne. Tommy est si grand, heureusement, il ne lui demande pas d'explications, Tommy comprend toujours tout. Il regarde la télévision, évite les yeux perdus et embués de sa mère qui sombre, assise sur le grand lit au duvet râpeux. *C'est la fin des jours heureux.* Il espère en secret que sa mère va se reprendre. Mais la blonde est trop loin pour pouvoir être ramenée. Tommy a peur quand il la voit ainsi, hébétée.

L'enfant gardera un souvenir traumatique de cette journée d'orage et de la nuit qui a suivi, de cette chambre de motel, de la douleur muette de sa mère, sa mère qui avale les médicaments par quatre et se laisse tomber sur le matelas comme une souche morte, sa mère qui ne sait pas se battre. Il lui en veut. Il l'aime. Il n'a qu'elle au monde. Sa mémoire mêlera la terreur de cette nuit aux ricanements des cartoons. Sa mère n'a pas su le rassurer, elle s'est accrochée à son bras de petit garçon, elle a inversé les rôles, a demandé à un enfant de dix ans de la protéger. Elle a fui, l'a laissé seul avec une part de pizza froide et des rires enregistrés.

Ils ne les laissent pas assister à la cérémonie. La blonde ne comprend pas, *bête, conne.* Le fils du milliardaire se tient près de l'autel, il ne supporterait pas que cette prostituée pleure dans son église, ni à son côté ni même dans le fond, il ne veut pas les voir, elle et le petit garçon. Ce n'est pas une question de bien ou de mal, de juste ou d'injuste. Il n'est pas fier d'empêcher la blonde et l'enfant de pénétrer dans la maison de Dieu, il n'a pas le choix. Il soupire. Il ne réfléchit plus, sa tête cogne à présent, il est peut-être un salaud. Mais il ne peut pas laisser cette fille entrer ici, la voir se recueillir sur le cercueil de son père, devant toute leur communauté, il ne peut pas.

C'est le chauffeur qui est chargé du sale boulot. Le chauffeur qui emmenait Tommy à l'école chaque jour. Quand ils arrivent devant l'église, il les attend en haut des marches, porte des lunettes de soleil comme dans un mauvais film où on reconnaît trop facilement les méchants. Les journalistes et les photographes ont fait le déplacement. Elle ne s'attendait pas à cela, *bête, si bête.* Elle porte des escarpins pointus, un tailleur noir très serré et une grande capeline avec une voilette. *Ridicule.* Elle est une parodie de veuve, malgré elle, une caricature. La famille, les amis, personne ne l'a vue, ils sont déjà assemblés à l'intérieur. Elle est horriblement nerveuse. Si elle est en retard, c'est qu'elle a mis trop de temps à se préparer, à se poudrer, à se maquiller, à ceindre sa seule armure, celle de la playmate célèbre.

Le chauffeur les refoule comme à l'entrée d'une boîte de nuit. Les flashs crépitent et c'est si graphique. L'image de cette femme voilée avec son petit garçon blond, tout de noir vêtus. Le ciel blanc s'étire dans le cadre et le parvis de briques rouges contraste avec la chevelure de l'enfant, comme une tache qui fait ricocher la lumière. Les photographes veulent capter cela, la fille est si grande et si belle sur ses hauts talons. Ils l'appellent, « Vickie ! Vickie ! Par ici ! ». Ils sont une foule mouvante, pareils à des oiseaux qui fondraient sur leur proie, dans un cliquetis de boutons qu'on enclenche, de mécanismes qu'on déclenche, ils avancent. L'enfant a l'impression qu'il va se faire dévorer. Sa terreur se mêle à la honte. Et ces cris de mouettes affamées qui chialent, « Vickie ! Vickie ! Par ici ! », « Tom ! », « Tommy ! ». Ils connaissent donc son nom ? Le chauffeur reste immobile sur les marches, ébloui par ce spectacle. Il croise le regard de l'enfant supplicié. C'est une belle violence. Et cette fille ? A-t-elle seulement lutté pour se frayer un passage ? A-t-elle dit « laissez-moi passer, je suis sa femme » ? Rien, rien, elle est restée muette, bête, hallucinée. L'enfant pousse un cri. Est-ce pour cela qu'elle fait volte-face ?

Ils doivent fuir, elle le tient fermement, le tire. Comme chaque fois qu'elle est acculée, qu'on s'en prend à son petit, elle redresse la tête et se métamorphose ; elle pense à son vieux milliardaire, elle est une *tigresse*, une femme extraordinaire, une mère courage que rien ne peut abattre. Ils ne prendront pas son fils en otage, les vautours, les chiens, elle les étripera un à un, ceux qui ont fait pleurer son Tommy. Car elle a senti la main de son enfant broyer la sienne de frayeur. Et seule cette main-là la rattache au monde *réel*. Ses jambes se déploient, ses talons pointus claquent le bitume, elle doit se tortiller pour marcher vite, prisonnière du fuseau de sa jupe ; sa cage thoracique pleine de clous est comme fracassée par un marteau, mais elle ne ressent aucune douleur.

« Viens ! Viens, on s'en va ! Avance, mon bonhomme, ne te retourne pas. »

Un instinct fort, aveugle, la guide. Elle et son fils ne font plus qu'un. La fille va si vite, elle agrippe si fortement l'enfant que les petits pieds de Tommy décollent du sol. Les yeux mi-clos, les sons lui parviennent par vagues, il se laisse emporter par sa mère dans un halo de lumière. Son cœur bat très fort, le bruit de son propre sang est étouffé, il ne veut ni voir ni entendre. Un courant invincible, une chaleur dorée le ravissent, la clameur de la foule hostile n'est plus qu'un bruit au loin, les pépiements des flashs ont disparu.

*C'est une nouvelle vie qui commence, fais-moi confiance, ma citrouille adorée. Papa est au ciel maintenant et je peux te dire qu'il veille sur nous, il ne va pas nous laisser tomber, et moi, je suis là, n'aie pas peur, Tommy, mon bébé, jamais je ne les laisserai te faire du mal. Ils peuvent bien nous empêcher de dire au revoir à Papa, nous irons au cimetière plus tard, rien que toi et moi. Ce n'est pas ça qui compte. On s'en sortira toujours, tous les deux. Je vais trouver un nouveau travail, je connais des gens qui voudront bien nous aider. On va quitter ce motel de merde, trouver un appartement, comme avant, comme quand on vivait que tous les deux, tu te souviens, ma citrouille ? C'est une nouvelle vie pleine de bonnes surprises qui commence, fais-moi confiance, mon trésor.*

La blonde a refermé la porte. Elle a encore du mal à respirer, même si le trajet en taxi lui a permis de retrouver son souffle. Elle tient son enfant contre son cœur et murmure à son oreille un avenir radieux. Elle se revoit, quand Danny et M. Peterson les avaient chassés. Elle pense à sa mère, oui, sa mère lui manque, et c'est elle la mère maintenant, elle qui doit inventer les solutions. Elle sait qu'elle trouvera la force, comme elle avait su le faire alors. Elle couvre son enfant de baisers. Et le garçon croit en sa *maman*, elle est si douce, il replie les genoux pour se faire encore plus petit dans ses bras. Ses larmes sont sèches, il n'est plus triste, il veut dormir ici, tout contre elle, il renifle et se mouche, se blottit et enfouit la tête dans les magnifiques, dans les immenses seins de sa mère.

## 8.

Il y a eu des moments d'euphorie, parfois, de bonnes nouvelles, alors la fille disait « Papa veille sur moi ». Elle a appelé son agent, l'a supplié, « trouve-moi du travail, n'importe quoi ». C'est quand même elle qui a fait vendre le plus de *Playboy* dans l'histoire du magazine, alors ? « Et le cinéma ? » demande l'agent. La fille se méfie, *quel genre de cinéma* ? Un producteur pense à elle pour le rôle de la blonde sexy dans un film d'action, gros budget, grand spectacle. « Parfait ! » Elle y croit, c'est un nouveau départ avec des maquilleuses, des habilleuses, des chefs opérateurs, un contrat en bonne et due forme. Elle n'a qu'une seule ligne de texte mais une forte présence à l'écran, une partie de jambes en l'air avec le méchant gangster, filmée de manière suggestive, *on ne verra même pas mes tétons*, et un chaste baiser avec le héros avant le clap final. Ça lui va très bien comme ça, elle touche un gros chèque, elle est confiante.

Et ce n'est que le début des bonnes nouvelles, maintenant un réalisateur la veut, elle sera la séductrice, portera une robe rouge ultra-décolletée pour le cinquième volet d'un film comique qui fera rire l'Amérique entière. Elle donne la réplique à cet acteur très célèbre, celui aux cheveux blancs, c'est un petit rôle mais elle apparaît dans la bande-annonce. À nouveau, les calendriers de lingerie la rappellent, moins prestigieux que la maison dont elle était l'égérie, mais elle n'est pas bégueule. Ce sera un *come-back* par la petite porte. Et c'est avéré, la blonde fait vendre, elle est un gage de succès pour les marques qui l'approchent, scandale ou pas, milliardaire ou ruinée, elle attire l'œil, elle est la chouchoute de la presse people, malgré elle, et tous se précipitent pour connaître ses dernières frasques et lire ses aventures.

Le procès va durer des années, ce sera l'affaire dont on débat dans les dîners en ville. Mérite-t-elle au moins une part de l'héritage du vieux ? Le fils veut la déshériter complètement. À combien a-t-elle droit, après seulement quatorze mois de mariage ? Le milliardaire avait-il toute sa tête lorsqu'ils rédigèrent le contrat prénuptial ? L'avocat de la fille lui a promis monts et merveilles. En attendant, car les procédures sont longues à démarrer, il faut monter le dossier, trouver des preuves, des pièces justificatives, raconter une histoire qui se tienne, cela prend du temps. Elle doit se débrouiller toute seule, sans l'argent du vieux, les dix mille dollars se sont évaporés depuis belle lurette. Le cinéma, c'est une idée, mais il ne faut pas trop y compter. Non pas qu'elle n'a pas été convaincante, elle était *fantastique* dans les rôles qu'elle a joués, malheureusement personne n'a l'idée de faire de la blonde autre chose qu'une très belle potiche, avec une réplique pour la forme, juste avant de se faire enlacer ou tuer. Son agent a dû ruser pour lui permettre d'enchaîner trois rôles identiques coup sur coup.

Il y a eu des moments d'euphorie, des moments où on l'a appelée *chérie*, mais ça n'a pas duré, et il a fallu trouver autre chose. Au fond, la fille n'aime pas les tournages, elle est nerveuse face à ces acteurs qui la méprisent et ne s'en cachent pas. Elle a peut-être trop l'attitude d'une fan, d'une fille débarquée de sa cambrousse texane, émerveillée, *euphorique* justement. Une fille qui dit *waouh !* quand on lui explique comment on insère les effets spéciaux. Les acteurs l'impressionnent, ils tutoient les stars, la fille a conscience de sa médiocrité, même les plus débutants, même ceux qui sont cent fois moins célèbres qu'elle, ceux-là ont pris des cours à l'Actors Studio, fait du théâtre, *waouh !* Ce monde ne lui correspond pas, trop d'angoisse, trop de pression, il faut être parfaite à chaque prise. Elle a mal au ventre, on ne s'occupe que de l'acteur principal, pas d'elle. La blonde ne sait jamais si c'était réussi ou raté, ou si elle sera coupée au montage. Pourtant, elle irradie, crève littéralement l'écran. Mais quand le réalisateur lui jette avec morgue « super, ma chérie », il ne la regarde même pas dans les yeux.

Presque par hasard, elle a retrouvé Pepper, qui était sa *sœur*, sa famille. Après avoir cessé de danser *Chez Gigi*, Pepper a mal tourné, à cause d'un homme. Maintenant, elle fait le trottoir. Elle ne dit pas « faire le trottoir », elle dit « faire l'escort ». Vickie lui demande combien elle gagne.

« Ça dépend. Pour une fille comme toi, ça peut aller jusqu'à deux mille dollars. Il faut voir avec Mademoiselle Green. »

Mademoiselle Green met les filles en relation avec les clients à *escorter*. La blonde garde cela dans un coin de sa tête, pour les fins de mois difficiles, deux mille dollars, ce n'est pas rien tout de même, ça payerait presque son loyer.

« Et où en es-tu avec ton procès ?

— L'avocat m'a promis des millions ! En attendant, les audiences n'ont même pas commencé... »

Déjà deux ans que le vieux milliardaire est monté au ciel, et Tommy a soufflé ses douze bougies, *comme le temps passe vite*. Son fils est immense, une grande perche, s'il continue, il mesurera au moins un mètre quatre-vingt-dix ! Un jour, elle lui a demandé s'il voulait voir son père. « Oui », a répondu Tom, et elle a sorti une photo de Danny avec elle et bébé Tom qui vient de naître. L'enfant n'a pas reconnu sa mère, elle est devenue si blonde et si pâle. Oui, c'est la très jeune femme sur la photo qui l'a choqué, pas l'adolescent qui se tient à son côté.

La blonde veut que Tommy grandisse avec une figure paternelle. Danny correspond peu aux critères qu'elle se fait du père modèle, alors elle préfère mettre des photos de son second mari partout dans la maison, surtout celles de leur mariage et de leur lune de miel à Bali. Elle a acheté de beaux cadres argentés. Elle dit *Papa* pour parler du milliardaire et *ton père* pour désigner Danny Peterson. Cela ne semble pas déranger Tom, un garçon très secret, très renfermé. Quand il était petit, il était volubile, faisait le bonheur des filles et de sa mère et du vieux milliardaire, maintenant le sérieux l'a emporté. La plupart du temps, il se tait, ses grands yeux bleus semblent perdus dans le lointain. Il ne lit plus autant qu'avant, ou alors toujours les mêmes livres. Des livres un peu *bébé*, car il a besoin d'être rassuré. Sa mère le câline autant qu'elle peut, mais Tommy a grandi, un garçon de douze ans, bien que fils unique, ne veut pas donner la main, ne veut pas faire de bisous, la blonde le comprend et le regrette, elle qui a *tellement besoin d'affection.*

Ils sont isolés depuis qu'ils ont quitté l'État du Texas et se sont installés à Beverly Hills. Son agent l'a persuadée qu'elle trouverait plus facilement du travail si elle s'installait à Los Angeles. Ils habitent au numéro 9745 de Charleville Boulevard, à l'angle de South Beverly Drive, dans un quartier cossu et aseptisé, planté de palmiers anorexiques et de blocs de béton esseulés. Leur appartement n'est pas très grand, deux chambres, deux salles de bains, cent quarante mètres carrés. Rien à voir avec la demeure du vieux milliardaire. Plus de poney, plus de jardin. Au départ, il s'agissait d'un meublé assez chic, plutôt élégant, la blonde a voulu y apporter une touche personnelle, a fait ajouter des dorures en stuc, une commode Louis XVI mal imitée, des rideaux de taffetas rouge, des coussins pailletés sur le canapé beige, des statuettes de chérubins ailés, des traces de bêtise tendre et de splendeur criarde, où l'on devine la petite fille qui a trop rêvé devant *Dynastie* et *Santa Barbara.* À deux reprises, elle refait entièrement sa chambre, la première fois en mauve, la deuxième en léopard, cherchant encore sans pouvoir trouver ce qui lui plaît *vraiment.*

Elle n'a pas d'amis en Californie, ne connaît personne à part un ou deux photographes et son agent, bien sûr. Elle attend que son fils rentre de l'école, le plus souvent, elle est oisive, vit dans une ambiance de paresse molle. Un vide terrible bâille en elle, sa vie se traîne, les heures se ramènent. Elle ne pense jamais au lendemain. Elle regarde la télévision, espère que le téléphone sonne, va faire des courses. Il y a chez elle un appétit de dépense toujours éveillé et un don pour se faire mal conseiller par les vendeurs. Elle se fait *avoir*, ça la rend triste, pourtant elle y retourne. Son vieux mari n'étant plus là pour la refréner, son dédain naturel de l'argent prend toute sa démesure. *À quoi bon* se restreindre ? Il y aura toujours un homme pour lui donner un billet dans l'obscurité. Il suffit d'appeler Mademoiselle Green. Mademoiselle Green change tout. Grâce à elle, elle a des hommes pour chaque nuit et de l'argent parfois par gros paquets de billets quand il lui prend une furie de *travailler*.

Les week-ends, elle et Tom vont à Roxbury Park, ils mangent des glaces à la fraise ; s'il pleut, ils vont au cinéma et achètent un grand seau de pop-corn. Il fait presque toujours beau en Californie. Quand, soudain, elle est appelée pour un shooting ou une émission de télé – elle est à nouveau réclamée ces derniers temps car le procès est sur le point de démarrer –, elle saute de joie. Elle aurait tellement besoin qu'on s'occupe d'elle, n'a pas d'amoureux. Elle est invitée à de nombreuses fêtes, s'y rend dans l'espoir de se faire des amis. Le résultat est toujours le même : la blonde boit trop de champagne, accepte les pilules qu'on lui propose et finit dans un sale état. Parfois, un invité malintentionné se fait une poignée de dollars en revendant des clichés de sa débauche à des journaux infâmes ; elle n'en ressort que plus célèbre, surnageant dans cette boue avec une facilité déconcertante.

Et les gens ne comprennent pas, ils ne mesurent pas l'ampleur de la schizophrénie de la blonde. Elle mène des vies parallèles. Une vie pour ceux qui paient pour qu'elle se couche, leur obéisse, les satisfasse ; une vie pour son fils, la seule qui lui semble *réelle* et lui permette d'*entendre* distinctement le monde ; une vie pour le show-business, les talk-shows, les séances photo, les soirs de fête où elle est tellement déguisée qu'elle n'existe plus, métamorphosée en une autre, charmeuse et charmante, électrisée d'être un objet de désir, de ce désir si différent de celui des hommes qui l'achètent et la possèdent pour une nuit.

Avec l'approche du procès, couplée à la promotion de ses trois films, elle est une bonne cliente pour les émissions de télévision. Elle arrive toujours à faire parler d'elle, parce qu'elle est si belle et si blonde, si naïve, et son rire cristallin est si *excitant*. Les présentateurs en rajoutent des tonnes, elle joue le jeu, minaude à la perfection.

« Vous êtes sublime ce soir, Vickie.

— Oh, merci !

— Parlez-nous de votre film et parlez-nous de votre rôle…

— Oh, ce n'était pas un grand rôle.

— Merci, oui, on avait remarqué ! »

Rictus ironique de l'animateur. Elle ne se vexe de rien, abonde dans son sens.

« Oui, c'était plutôt un rôle physique… »

Rires des spectateurs dans la salle. L'animateur se moque d'elle. La blonde est si gentille, si humble et consciente qu'elle n'est pas une véritable actrice. Tous devraient la trouver adorable, mais son corset est tellement serré et ses seins tellement monstrueux, ils brouillent la vue du téléspectateur, la condamnent. « Oh ! putain, je me la taperais bien, celle-là. » Quand elle arrive sur le plateau, elle fait un geste mignon de la main, un petit signe pour faire *coucou* au public, gracieuse reine en toc, heureuse d'être là.

« Alors, parlez-moi de votre mari, vous vous attendiez à ce qu'il meure ?

— Oh, oui ! Enfin, je veux dire, il était très vieux. »

Rictus du présentateur. Elle se reprend.

« Nous nous aimions énormément, il me manque beaucoup.

— Vous êtes célibataire ?

— Oui.

— Et moi, pensez-vous que je sois assez vieux pour vous ? »

Rires dans la salle.

« Oh, ça se pourrait. »

Elle lui fait un clin d'œil, le présentateur porte sa main au cœur et mime un homme sur le point de s'évanouir.

Elle rentre chez elle, retire ses faux cils et ses faux ongles, desserre enfin cet abominable corset, enfile un pantalon de jogging. Tom est devant la télé.

« Tu as regardé maman ?

— Oui.

— Alors, j'étais comment ? Tu m'as trouvée jolie ? Tu as vu, ils m'ont prêté une robe *de haute couture*. Tu as trouvé que j'étais bien habillée ?

— Super.

— Tu as eu le temps de faire tes devoirs ? Tu as dîné ?

— Oui. »

Tom continue à avoir de bonnes notes, mais il a le cœur brisé par les talk-shows de sa mère ; les choses ont beaucoup changé depuis la mort du milliardaire. Le procès va commencer, personne ne pourra protéger le garçon de ce battage médiatique. Il déteste quand sa mère fait *coucou* aux téléspectateurs, il la trouve ridicule. Il déteste quand sa mère porte des robes *de haute couture* tellement décolletées qu'on ne voit que sa poitrine.

Aujourd'hui, même quand ils mangent une glace, les gens les reconnaissent. Cette fille si gauche à la scène, si drôle quand elle joue les ingénues alors même qu'on lui parle de choses sérieuses, le mariage, la mort, le procès, l'héritage, cette fille ne sait que coqueter. Dans la rue, les gens ne se retournent plus parce qu'elle est une beauté, ils se retournent parce qu'elle est *cette blonde* qui défraie la chronique, et Tom déteste cela. Elle lance la mode des shorts portés avec des santiags, n'hésite pas à se balader dans la rue avec un chapeau texan, alors elle est encore plus reconnaissable, et Tom entend les chuchotements et les *moqueries*. Ils habitent à Beverly Hills, ceux qui s'y baladent sont avides de croiser les stars et la fille s'amuse de leurs regards. A-t-elle besoin que ces paires d'yeux se déposent sur son châssis ? N'a-t-elle pas honte ? Tom ne peut pas parler avec sa mère car il y a beaucoup de choses qu'il ne pourrait lui expliquer et qu'il a comprises, déjà. Tom est un petit garçon de douze ans qui endure tout, déjà. Vickie est *bête*, elle est *conne* de penser qu'il ne voit pas, qu'il ne sait pas. Quand elle part le soir, quand elle lui dit « Maman va travailler, souhaite-moi du courage, ma citrouille », Tom sait qu'elle va être une *pute*, qu'elle va coucher avec des hommes. Tom sait très bien ce que coucher veut dire et il sait que sa mère le fait pour de l'argent.

Tom a tout remarqué, ses yeux bleus perdus écoutent sa mère appeler Mademoiselle Green. « Allô ? Bonsoir, Mademoiselle Green, c'est Vickie… » Il voit bien dans quel état elle rentre de ses virées nocturnes, cassée en deux, il est même capable de deviner, quand il revient de l'école, si elle l'a fait dans la journée. Tom souffre à travers le corps de sa mère, il connaît chacun des médicaments qu'elle prend, juge la gravité de son mal en fonction des doses qu'elle gobe devant lui. Tom ressent les assauts de l'homme sur le corps de sa mère qui se plaint de son dos, « j'ai mal au dos, Tommy, j'ai tellement mal au dos », et il l'imagine se cambrer davantage sous les coups de reins de l'homme qui veut la prendre par-derrière. Ils veulent tous prendre sa mère par-derrière car elle a un cul magnifique. Les hommes s'accrochent aux seins de sa mère comme à des poignées et tirent et labourent et la forcent à onduler jusqu'à épuisement. Quand la blonde passe le seuil de l'appartement, le fils sait, le fils voit qu'on a maltraité sa mère. Il hait ces hommes. Et il hait sa mère de les laisser faire.

Il faut bien trouver l'argent pour acheter les glaces et le pop-corn. L'argent manque à sa mère, elle le fait disparaître d'un haussement d'épaules, « ah ! Économiser n'a jamais été mon fort ! ». Ça ne fait pas rire Tom. L'argent est une chose sérieuse. Quand il sera plus grand, il gagnera des masses d'argent, il n'aura jamais de problèmes d'argent, il se le jure, et il n'en donnera pas à la blonde qui est *inconséquente*. Il voudrait être grand, il voudrait être un homme, il lui interdirait de sortir le soir, la protégerait d'elle-même.

Il s'invente des histoires, l'imagination de Tom est ardente, des histoires qui les mettent en scène, elle et lui. Ils seraient pauvres et vivraient dans une favela, au Brésil. À l'école, le professeur leur a montré des photos terrifiantes de ces bidonvilles alignés sur des kilomètres. Tom rêve que lui et sa mère habitent une de ces cabanes de tôle et de caoutchouc, ils sont heureux, Tommy est cireur de chaussures – c'était l'exemple donné par le professeur : un garçonnet cirait les chaussures des hommes d'affaires partant travailler de bon matin dans les beaux quartiers. Tom ferait cela, et *cela* suffirait à subvenir à leurs besoins. Et le reste de la journée, il glanerait, rapporterait des choses abandonnées et, avec sa mère, ils fabriqueraient des objets ou en répareraient d'autres. Ce serait une vie simple, une vie de trouvailles, sans péché. Le professeur a ajouté que dans les favelas règnent la drogue et la prostitution. Le souffle de la classe a caressé la nuque de Tom, il a senti les yeux des élèves se poser dans son dos. *Ta mère la pute.*

Il voudrait être un homme et n'est encore qu'un enfant. Quand la blonde part travailler le soir, il retient ses larmes, lui demande de rester, « tu iras demain plutôt ». Sa mère embrasse ses cheveux d'ange. « Si tu crois que ça m'amuse, ma grenouille adorée. » Son cœur se fend. « Je fais ça pour toi, tu sais. » Tom est pris de nausée.

Parfois, Pepper vient dormir chez eux, ces soirs-là, Vickie est très gaie, *frémissante*. Pepper et elle se comprennent, elles sont des amies de cœur. Elles parlent des hommes et de leurs malheurs. Tom écoute attentivement. Pepper n'a jamais eu de chance, elle n'est pas aussi belle que la blonde, et elle n'a pas eu d'enfants, mon Dieu, elle n'en aura jamais, la vie est trop dure. Pepper dit que la vie est une belle saloperie, heureusement que Vickie est là pour elle. Vickie dit « non, heureusement que *toi* tu es là, ma chérie ». Elles ne se quitteront *plus jamais*. Alors, elles s'embrassent et pleurent dans les bras l'une de l'autre. La tendresse de ces deux filles est contagieuse, elles prennent Tom sur leurs genoux et lui font jurer des choses absurdes. « Promets-nous que tu ne trahiras jamais les femmes ! Promets-nous que tu nous vengeras des hommes. Promets-nous que tu seras toujours à nos côtés ! » Et l'enfant, croix de bois, croix de fer, est heureux de servir à quelque chose, d'être considéré comme un protecteur, il se voit vaillant chevalier veillant sur ces deux cœurs perdus.

Pepper vient de plus en plus souvent et Tom est content car, les soirs où elle est là, sa mère reste à la maison. Cela lui rappelle l'époque bénie où il n'était encore qu'un petit bonhomme et où les filles de *Chez Gigi* se disputaient pour le materner, il se sentait en sécurité, alors. Quand sa mère est forcée de sortir, Pepper tient compagnie au garçon. Pepper non plus n'aime pas quand Vickie sort. « Si tu faisais un peu moins l'imbécile avec le fric… Je ne veux pas de tes cadeaux, garde ton argent pour toi. » Tom ne peut qu'approuver. Il pense que Pepper et lui sont dans le même camp, celui des gens raisonnables.

Pourtant, certains soirs, elles mettent de la musique, décapsulent des bières et dansent, lascives, en roulant des yeux de chatte, ou bien elles chantent à tue-tête dans le salon comme deux gamines et Tom redevient sérieux. Il n'aime pas quand les choses débordent de leur cadre. Les accès de joie de sa mère sont *imprévisibles*, effrayants même. Les filles finissent par se battre en riant, se renversent sur le canapé et envoient Tom dans sa chambre. L'enfant égoïste serre les poings, il comprend que celle-ci aussi va lui prendre sa mère, celle-ci aussi veut sa part de la blonde. Et il pleure en silence alors que de l'autre côté du mur, il perçoit les gloussements étouffés des deux femmes.

## 9.

Selon la loi texane, même si leur mariage a duré quatorze mois à peine, la moitié de ce qui appartenait au vieux milliardaire revient à la blonde. *Huit cents millions de dollars*. Huit cents millions de dollars, c'est la moitié d'un milliard six cents millions de dollars. C'est une somme tellement colossale qu'elle n'arrive pas à se la représenter. Une pile de dix mille billets de cent dollars, c'est-à-dire un million de dollars pèse environ dix kilos. Huit cents millions de dollars pèseraient donc huit milliards de kilos, soit huit millions de tonnes. Un camion avec trois essieux peut charger jusqu'à trente-huit tonnes, il lui faudrait plus de deux cent dix mille camions si elle voulait transporter son argent, et si, pour conduire ces camions, elle employait tous les hommes et toutes les femmes et tous les enfants d'Amarillo et même les bébés, cela ne suffirait pas.

Selon la loi texane. Mais les avocats du fils sont des requins et ils ont cinq rangées de dents chacun. Ils connaissent la loi texane. Ils connaissent aussi les lois des autres États.

Elle est assise dans un petit box en bois lambrissé. On la somme de répondre. Le vieux milliardaire a offert des cadeaux somptueux. Deux voitures de sport et des bijoux. Rien que sa bague de fiançailles, un diamant d'une pureté exceptionnelle de vingt-deux carats, a coûté un million de dollars. Un caillou d'un million au doigt !

Le fils bossu a répertorié les parures, les tiares, les bracelets, les boucles d'oreilles, bon sang, à croire qu'il vivait avec un carnet à la main et qu'il y notait tout ce qu'elle portait. On brandit une liste sous les yeux de la blonde. Il va falloir déduire cela du montant global. Elle a perdu certains de ces bijoux, les a-t-elle donnés ? Échangés, peut-être ? Elle ne sait plus, ne se souvient pas. Son avocat l'avait mise en garde, la guerre, le sang. On lui pose des centaines de questions, on lui fait répéter les choses, jusqu'à dix fois. N'est-elle donc pas claire ? N'est-elle pas sûre de son cœur ? Ils réussissent à la faire douter, elle s'embrouille, hésite, se contredit.

Sa mère, son premier mari, Danny, et même M. Peterson sont venus témoigner contre la blonde.

Pourquoi ? Et le cow-boy, comment s'appelait-il déjà ? Sam ? Oui. Sam est venu et le petit Tom l'a reconnu. La lèvre inférieure du jeune garçon s'est mise à trembler quand l'homme a raconté que la blonde lui avait couru après, l'avait forcé à le faire, parce que le vieux ne pouvait pas, parce qu'elle était en manque. La blonde avait « le feu au cul, pardonnez mon langage, Votre Honneur ». Tom a repensé aux vaches aux longues cornes, à leurs museaux luisants. *Le feu au cul.*

Puis il y a l'amant de l'anniversaire, celui qui était avec elle dans l'accident de voiture. La blonde ce jour-là est tétanisée.

« Madame, voulez-vous que nous levions l'audience ? Qu'avez-vous, madame ? »

Elle arrive à peine à articuler.

« Non, Votre Honneur. »

Le procureur lit le rapport de police, Tom apprend les mots *toxicologie* et *mescaline.* De quel anniversaire parlent-ils ? Dans la salle, le public ne semble pas surpris. Tom a treize ans. Les faits remontent à une époque où il était encore protégé, gardé dans l'ignorance des *détails.* Seules des rumeurs colportées par des enfants dans la cour de récréation parvenaient à ses oreilles, et le vieux milliardaire savait apaiser ses angoisses. Aujourd'hui, les saletés remontent à la surface, les insultes incompréhensibles, les horreurs chuchotées, la cruauté de l'enfance, il se les rappelle maintenant. *Ta mère la pute. Ta mère la toxico.* Il n'avait pas compris ce qu'ils voulaient dire. Toxico sonnait à ses oreilles comme Mexico, une chose exotique et sale. La violence floue qui entourait ses jeunes années comme une brume chimique se dissipe enfin pour faire place à une acidité pure, Tom a l'impression qu'on lui brûle le visage. Il se tient immobile, écoute ces hommes encravatés reposer sans cesse les mêmes questions à sa mère qui devient folle.

Vingt-deux semaines de procès, de renvois, de rejets, d'expertises et de contre-expertises. Et toujours de nouveaux personnages, comme autant de lapins sortis d'un chapeau haut de forme, dans le seul but de l'aliéner. Sous le feu de leur interrogatoire, les pupilles de la blonde se dilatent à tel point qu'on croirait qu'elle a les yeux noirs. Tom a quatorze ans, il ne connaît pas encore le mot *mydriase*. L'avocat se tourne maintenant vers le psychiatre. Oui, un psychiatre a donné la liste des médicaments qu'elle prend et expliqué le comportement addictif de la blonde, « qui s'étend à tous les domaines, Votre Honneur ».

Alors, le juge de la grande ville de Houston tape trois coups de marteau sur son bureau et la sentence tombe. La blonde n'aura pas droit à huit cents millions de dollars, la blonde n'aura pas droit non plus aux quatre cent cinquante millions que son avocat réclamait pour elle et son enfant, la blonde n'aura droit à *rien*, pire encore, la blonde est condamnée à payer les frais juridiques engagés par le fils du vieux milliardaire. Le fils a gagné. La blonde lui doit un million.

Son avocat en a vu d'autres. « Nous n'en sommes qu'au premier procès, madame ! » La fille acquiesce, confiante, exsangue. Le chauffeur, l'infirmière et le notaire sont rappelés à la barre. Le notaire était de mèche avec le fils, n'ont-ils pas fait remplir au vieux un tas de papiers les semaines qui ont précédé sa mort, et guidé sa main tremblante en bas à droite, au-dessous de « lu et approuvé » ? Elle n'aurait jamais dû quitter cette chambre.

Et l'infirmière, que dit-elle ? « Oui, Votre Honneur, la blonde a demandé à être laissée seule avec son mari. Pour quoi faire ? Pour signer des chèques, pardi ! »

« C'est faux, vous mentez ! Vous savez que vous mentez ! C'était pour lui faire un strip-tease ! »

Un hoquet de désapprobation parcourt la salle. « Cette fille ne pense vraiment qu'à ça, mon Dieu, un strip-tease face à un mourant, quelle honte ! »

La pécheresse, la tentatrice sanglote. *Qu'y a-t-il de mal à donner un peu de bonheur ?* Tom baisse la tête, déchiré entre les larmes de sa mère et son imagination fébrile d'adolescent, sa mère dansant devant le vieux milliardaire recroquevillé au fond de son lit. Tout est taché, sali. *Folle du cul, hystérique, volage.*

« Cette femme a trompé son mari, et elle ne s'est pas gênée, elle l'a trompé même pendant leur lune de miel !

— C'est faux ! C'est tellement faux, bande de menteurs, vous n'avez pas le droit, j'ai été une épouse fidèle ! »

Tom relève la tête, son cœur saigne. Comme ils sont méchants avec sa mère.

Alors se succèdent d'autres hommes, des hommes qu'elle n'a jamais vus, elle le jure devant Dieu, ou peut-être une fois, une fois seulement, dans le noir. Elle balbutie, s'égare, elle prend tellement de médicaments. Cela fait des mois qu'elle a perdu le sommeil. Malgré les somnifères, elle se réveille en pleine nuit, terrorisée, engloutie dans une nébuleuse, elle a parfois la vision d'un grand fantôme blanc qui l'arrache du sol comme on cueillerait une fleur et la soulève haut dans le ciel. Son angoisse augmente au fur et à mesure que la terre s'éloigne, son angoisse est infinie. Mais il faut retourner au tribunal et faire face. Elle prend des amphétamines, du Prozac et du Sarafem. Le cocktail détonant s'agite sous son pauvre crâne.

On ne la laisse jamais tranquille, les journalistes et les paparazzis ne la lâchent plus. Quel procès ! Quels rebondissements ! Car deux juridictions s'affrontent désormais.

« Vickie, que pensez-vous de la prééminence de la loi fédérale ? »

Elle est constamment sous surveillance, chacun de ses faits et gestes est commenté, chacune de ses tenues décryptée. Tailleur strict pour une première journée d'audience. Pull en mohair rose, pour un look de *baby doll*, à la réouverture du procès.

« Vickie, pourquoi avez-vous changé de coiffure ? »

Au bord de la fêlure, à bout de nerfs, elle abuse des anxiolytiques pour se donner du courage. Certains matins, devant sa glace, elle se rend bien compte qu'elle est méconnaissable. La blonde a grossi, elle mange trop. De la guimauve, des bonbons, du chocolat. Son corps s'emplit de sucre, elle s'empiffre de fraises qu'elle plonge dans la crème Chantilly et se lèche les doigts. Elle aime aussi les cornichons, elle verse du jus de cornichon dans sa vodka, dans son martini ou dans son gin, ça lui brûle l'œsophage, mais elle tient de mieux en mieux l'alcool.

Le juge fédéral donne raison à Vickie. En revanche, il réduit les quatre cent cinquante millions de dollars à quatre-vingt-huit millions. *Quel soulagement ! Quelle joie !* Elle a gagné. Son avocat la prévient, tant que l'argent n'a pas été viré sur son compte, rien n'est joué. Le fils du milliardaire a la dent dure. Il veut un troisième procès. La blonde n'aura pas la force, elle est à bout. Son agent l'appelle. Un certain Michael Charles Kudrow souhaiterait la rencontrer.

« Tu vois qui c'est ?

— Oui. J'en ai déjà entendu parler, bien sûr. »

Ils ont rendez-vous dans un restaurant chic. Elle porte une robe crème, très décolletée, elle a relevé ses cheveux en chignon. Cela fait deux jours qu'elle jeûne en prévision de cette soirée. Elle alterne désormais des phases de boulimie avec d'autres de privation totale de nourriture, dès qu'une occasion motivante se présente, en l'occurrence réussir à passer la robe crème pour rencontrer Michael C. Kudrow.

Elle sort de six heures de baise avec un riche Russe, a pris trois grammes de paracétamol car elle a très mal au dos et de la Ritaline pour la bonne humeur. Elle arrive en avance. Un serveur la conduit vers la table réservée à son nom. Sur son passage, un murmure fébrile se fait entendre. Elle a toujours su où se posait le regard des hommes. Sa chair irradie dans cette robe en satin crème, ses épaules de blonde grasse font tomber les yeux des clients dans leur potage. Elle s'assied, attend Maître Kudrow. Quand il débarque et l'aperçoit, il ne peut masquer son trouble.

Michael C. Kudrow est un avocat de renom du barreau de Californie. Brun aux yeux verts, plutôt bel homme, mis à part un nez en bec d'aigle qui lui donne un air menaçant. À quarante-six ans, il a déjà une brillante carrière derrière lui. Un nombre impressionnant de procès, toujours très médiatisés, l'ont rendu célèbre. Il a été, entre autres, le défenseur du fameux acteur accusé du viol de sa belle-fille, et aussi du joueur de football qui a fait assassiner sa petite amie. Pendant deux ans, Kudrow a suivi le procès de la blonde avidement, il a lu tous les articles la concernant, vu toutes ses interviews. C'est devenu son obsession. Kudrow est un homme brillant ; rien ne sert de courir.

Aujourd'hui, la blonde doit faire face à un troisième round, elle a perdu, elle a gagné, et on lui demande de remettre sa victoire en jeu. Psychologiquement, elle et son avocat sont épuisés, il sera son sauveur, il ne peut en être autrement. Il veut ce procès, a presque le sentiment qu'il lui revient de droit. Kudrow n'est pas seulement passionné par son métier, il a un don. Si sa mère était encore de ce monde, elle pourrait en témoigner : on n'a jamais rien pu refuser à Michael C. Cette force de conviction – assez proche au fond du pouvoir de séduction – fait de lui un rhéteur-né. Enfant, on disait qu'il était têtu ou, plus tard, d'une opiniâtreté déroutante. « Il y a du rouleau compresseur dans votre fils, madame Kudrow. »

Sur le chemin du restaurant, Michael C. ne doute pas qu'il finira par convaincre la blonde qu'il est l'homme qu'il lui faut. Mais il n'a pas prévu l'attraction fatale, l'effet violent, l'impact qu'elle produira sur lui, rien qu'à se tenir assise, là, face à lui, en chair et en os. Il n'est pas un être sensuel, pas un coureur de jupon, la gent féminine ne l'intéresse pas outre mesure. Mais Kudrow est un carnassier et la blonde le fait saliver. Il va planter ses crocs dans cette chair de pêche. À imaginer que sous la nappe son pied pourrait la frôler, le cœur vient lui battre dans la gorge. Le procès en deviendrait presque accessoire.

Elle a commandé des raviolis à la sauge.

« Vous aimez la sauge ?

— Je ne sais pas. »

Elle semble si fragile.

Kudrow baisse les yeux et remarque que la pointe des seins de la blonde touche la table. Il avale sa salive et sa main se crispe sur sa fourchette. Michael C. est un homme violent. Une sourde envie de sauter de sa chaise, de tirer la nappe et de faire tomber les assiettes, les verres, que les couverts glissent par terre dans un fracas métallique accélère son pouls. Il frotte machinalement l'index sur son tympan, il s'imagine attrapant les seins de la blonde, tout son corps se tend, il veut cette femme, il veut l'épouser. Il veut la défendre, lui faire gagner de l'argent, la venger de tous les affronts qui lui ont été infligés. Kudrow a une énergie plus importante que la moyenne, sans aucun doute.

Arrive le dessert, de la glace à la vanille. La blonde plonge sa cuillère, une de ces cuillères avec un long manche fin et une petite tête, dans la coupe en verre épais et évasé où se chevauchent quatre boules parsemées d'amandes grillées. Elle enfonce la cuillère avec application et en ressort un petit morceau blanc râpeux, qui s'adoucit aussitôt dans la chaleur de l'atmosphère, et la fait disparaître dans sa bouche rose comme une framboise. L'avocat s'empêche de la regarder.

« Quels sont vos honoraires ?

— Je me paierai uniquement sur ce que je vous aurai fait gagner. Et je vais vous faire gagner beaucoup !

— Oh ! mais je suis déjà riche, vous savez. »

La blonde est riche. Avec les talk-shows, les interviews exclusives et les photos dans la presse – son agent est devenu spécialiste en fausses photos volées prévendues. Elle est riche car elle continue à appeler Mademoiselle Green, a même augmenté ses tarifs ces derniers temps, par exemple le Russe de cet après-midi l'a payée vingt mille dollars.

Les choses vont devoir changer avec Michael C. Kudrow. Lui ne supportera pas que d'autres la possèdent. Il déteste à l'instant même les avocats qui pourraient imaginer défendre la blonde, et aussi ses amants, ses clients, son agent, et son fils, ce grand dadais pâlot qui la suit partout. Kudrow n'aimera jamais Tom et Tom n'aimera jamais Kudrow. Heureusement, depuis peu, Tom s'est pris de passion pour l'astronomie, les étoiles, les comètes, les trous noirs. Il veut devenir astronaute. Il pilotera une fusée. Il partira sur une planète où personne ne connaît sa *mère la pute*.

À la manière dont elle parle de Tom, l'avocat comprend immédiatement que l'adolescent est un greffon cousu dans le cœur de sa mère, un point nodal qui ne pourra pas se démêler facilement ; Tom est une partie intégrante de la chair de la blonde. D'autant plus, et cela Kudrow ne le sait pas encore, qu'elle a délégué un certain nombre de choses à son fils. Des choses qu'un enfant de quatorze ans devrait ignorer.

Peut-être parce qu'il vaut mieux, parfois, se faire l'ami de ses ennemis plutôt que de les affronter dans un combat perdu d'avance, Tom a décidé que les médicaments aidaient la blonde, qu'elle en avait *besoin*. Ensemble, mère et fils jouent au docteur, elle accepte qu'un môme lui dise « mets-toi au lit, tu vas prendre deux Sarafem et un Zolpidem ». Fou, inconcevable, et pourtant. Les choses se sont installées progressivement, naturellement, lorsque, trop épuisée, allongée sur son lit, la cage thoracique en feu, elle demandait à Tommy d'aller lui chercher un verre d'eau, et si les boîtes de pilules n'étaient pas sur sa table de chevet, elle ajoutait « donne-moi un cachet de Ritaline ou de Xanax ». Et l'enfant apportait l'eau et le cachet, et cela était devenu *entendu*. Les gens peuvent accepter d'accomplir le mal s'ils en ont été chargés personnellement.

Pourtant, Tom déteste voir sa mère se bourrer de médicaments, son regard vaseux l'horrifie.

Pendant une audience, elle a eu des moments d'égarement, redemandé plusieurs fois à un avocat son nom comme si elle s'éveillait à peine d'un rêve, princesse au bois dormant. *Où suis-je ? Que m'arrive-t-il ?* Le cœur de Tom s'est pincé de rage, à quoi jouait-elle, bon sang ! Il aurait voulu la secouer jusqu'à la briser et la faire tomber de sa chaise en mille morceaux. En même temps, lui seul savait quelles pilules elle avait avalées dans le taxi qui les conduisait au tribunal. C'était lui qui les avait glissées dans sa main. « Vous pouvez répéter la question ? » Dans quel état de nerfs elle était ! À la manière dont elle tente de se redresser sur sa chaise et cambre le dos, il sait combien elle souffre. Dès que l'audience sera levée, il se précipitera pour lui donner du Tylenol, un mélange de codéine et de paracétamol. « Vous pouvez répéter la question ? » Elle n'est plus qu'une *plaie,* elle est incapable de réfléchir. Pourquoi continuer à affronter le fils et la belle-fille ? Pourquoi remuer les souvenirs douloureux de quelques mois de bonheur avec un vieillard ? *Nous ne faisions de mal à personne.*

« Vous essayez donc de nous faire croire que vous avez oublié ce qui est advenu le soir des quatre-vingt-huit ans de votre époux ?

— Je ne sais pas.

— Vous ne vous souvenez de rien ? Pourtant, il s'en est passé des choses, ce soir-là ! La presse en a témoigné !

— J'ai oublié.

— Très bien, puisque vous vous obstinez, notez, je vous prie, que madame Vickie Smith refuse de faire un effort de mémoire. À moins qu'elle n'ait pris trop de drogue ce soir-là, comme l'atteste d'ailleurs le rapport de police. »

Les téléspectateurs ont adoré les extraits du troisième procès qui ont été diffusés. « Quelle farce ! Du Grand-Guignol ! Vous souvenez-vous ? C'est cette blonde qui était si belle quand elle était jeune. Comme elle a grossi ! Oui, elle est toujours très jolie, mais quand même, là, elle est passée du côté des sacrés morceaux. Il paraît qu'elle est complètement droguée. Il paraît qu'elle est alcoolique au dernier degré. Il paraît qu'ils vont lui retirer son enfant et le confier à l'Assistance publique, vous vous imaginez avoir une mère pareille ? Mon Dieu, ses seins ne ressemblent plus à rien. Il paraît qu'elle a subi douze opérations ! Et qui est cet avocat qui la défend ? Oui, il est célèbre. N'est-ce pas lui qui a fait acquitter l'acteur qui avait assassiné sa petite amie ? Il paraît que c'est elle qui a tué son mari. Qui ? La blonde ! C'est elle qui a tué le vieux, en mettant du poison dans son café, un poison indécelable à l'autopsie… »

Au mois de décembre de l'année suivante, une assemblée de trois juges de la Cour d'appel du neuvième circuit donne une nouvelle fois raison au fils du milliardaire ; elle annule la décision qui lui imposait de verser quatre-vingt-huit millions de dollars à sa belle-mère. Finalement, malgré ses promesses de victoire, Michael C. Kudrow n'a rien gagné, bien au contraire, il est tombé, frappé d'amour. La blonde est une esclave qui cherche un maître sur qui régner. Et Kudrow sera ce maître ; désormais, la blonde et lui seront indéfectiblement liés.

## 10.

Il faut comprendre Tom. Mais pourquoi a-t-il eu besoin de *voir* cela ? Pourquoi a-t-il mis le DVD dans le lecteur et appuyé sur PLAY ? Sa mère avait pris soin de le dissimuler sous une pile de tee-shirts. Tom n'est pas tombé dessus par hasard, Tom inspecte souvent les placards de la blonde car il n'a pas *confiance* en elle. La pochette a le mérite d'annoncer la couleur et Tom aurait dû être raisonnable et ne pas visionner la *chose*. Tom n'aurait pas dû céder à la curiosité de regarder sa mère nue se masturbant, sa mère avec un homme puis un deuxième, sa mère au regard de lionne qui se tape la soubrette dans un bain moussant, sa mère qui baise un pizzaïolo sur le plan de travail, et les mains pleines de farine du cuistot sur la peau de pêche de la blonde. Tom a seize ans, il regarde un film porno comme beaucoup de garçons de son âge, à la différence près que l'actrice principale est sa mère.

Il n'a fait l'impasse sur aucune scène, sa mère nymphe au regard mutin sur une pelouse avec des roses piquées dans les cheveux, sa mère gamine avec des couettes, un ours en peluche et une jupe plissée, sa mère marquise perruquée en corset avec mouche sous l'œil, sa mère Miss America en soutif rayé et string bannière étoilée, sa mère allongée sur une peau de tigre à l'état sauvage, les cheveux huilés, sa mère femme d'affaires à lunettes, blazer et porte-jarretelles. Sa *mère la pute* sous toutes ses formes. Et noyée dans cette mare de clichés, elle reste divinement bandante, dégage quelque chose de rare, de violent. Il faut comprendre Tom.

L'autre soir, Michael C. a voulu complimenter Tom sur ses résultats scolaires. Il est premier de sa classe dans toutes les matières, sauf en sport. Ou était-ce une manière de se moquer de lui une fois encore ? Avec son nez en bec d'aigle et ses sourcils en accent circonflexe, Kudrow est l'homme le plus sarcastique du monde. Tom le déteste et se méfie de lui. *Tu n'es pas mon père, je me fous de ce que tu penses de mes notes en maths.* Tom sait remplir les cases des psychologues. Elles sont parfaites pour lui, il peut quasiment toutes les cocher.

Kudrow marche sur des œufs. Il ne doit pas entrer en conflit avec l'enfant chéri. Les réactions de la blonde sont épidermiques dès qu'il s'agit de son fils, ce n'est jamais la faute du petit mais invariablement celle des autres. Si grande soit l'emprise de l'avocat sur elle, elle ne lui donnera pas raison contre Tom. L'homme et l'adolescent en ont parfaitement conscience et se dévisagent longuement, en silence. Tom jauge l'avocat avec morgue, à dix-sept ans, il le dépasse d'une tête ; Kudrow est trapu, musculeux, ses épaules sont larges et sa mâchoire carrée. Il est l'opposé du fils qui, avec son visage fin, ses pommettes roses et ses grands yeux bleus, est le portrait craché de sa mère au même âge. Les filles de sa classe sont folles de ses cheveux blond cendré, légèrement ondulés, de son air distant, parfois perdu. Tom est le genre de garçon dont on est amoureuse en secret car il est différent des autres, il est si bizarre. Il ne parle à personne, ne lève jamais la main pour participer et, quand le professeur l'interroge, il a toujours la bonne réponse. Certaines disent qu'il est très modeste, d'autres qu'il est « chelou ». Tom n'a pas d'amis, le procès l'a rendu paranoïaque. Quand quelqu'un l'approche, c'est pour lui soutirer des informations sur sa mère.

Tom se méfie autant de ses petits camarades que de Michael C.

« Tu voudrais devenir avocat plus tard ?

— Certainement pas. »

Quand Kudrow tente de lui parler, Tom se braque. Il aurait été plus judicieux de se le mettre dans la poche. D'autant que l'avocat est fils unique et n'a pas d'enfants. Peut-être que l'idée de prendre sous son aile le petit de la blonde aurait pu lui plaire ? En vérité, l'avocat n'a pas une once de fibre paternelle et comprend mal l'adoration que la blonde porte à ce môme dégingandé. La nonchalance vicieuse de Tom, ce temps infini de réaction entre le moment où on lui demande de faire quelque chose et celui où il lève ses fesses pour s'exécuter, rend Michael C. fou. Tom le sent et en rajoute. Pourtant, l'avocat a fréquenté des grands criminels, des manipulateurs, des voleurs, des menteurs… et Tom travaille à lui nuire simplement en l'exaspérant. Si la discussion s'envenime, Kudrow lui dit « je ne te permets pas de me parler sur ce ton ». Tom lui répond « je ne t'ai pas demandé la permission ».

Les deux luttent pour que la jeune femme se mette sous leur coupe. La blonde n'est pas aussi innocente qu'elle en a l'air, cela lui plaît d'être au centre des convoitises. À l'heure où les garçons se détachent de leur mère, elle a trouvé le moyen, en introduisant un rival dans le foyer, de garder son fils au plus près d'elle. Elle est la princesse qui fait grâce au premier, puis au second et donne raison à celui qui avait tort, le vrai et le faux important peu. À ce jeu-là, Tom est souvent déclaré vainqueur. Force est de constater qu'il occupe la première place dans le cœur de la blonde. La jalousie plisse la bouche de l'avocat dans un rictus qui ravit la mère – *la jalousie est une preuve d'amour* – et le fils.

Tom ne semble pas s'intéresser à la gent féminine. Excepté à une fille du lycée dont il ne connaît que le prénom, Iris. Les autres sont des cruches. Elles lui sourient de leurs bagues ferrailleuses, il les trouve laides, leurs cheveux trop épais. Ce que les adolescentes peuvent avoir comme cheveux ! C'est la vie qui grouille là-dedans. *Les hormones leur poussent sur la tête.* Les filles de sa classe ont suivi le procès, certaines lui ont collé l'étiquette « blessé à consoler », d'autres « fils de star », celles-là s'imaginent affrontant les paparazzis à son bras. Avec son teint pâle, son dos un peu voûté et ses longues jambes, Tom est l'antihéros par excellence. Il fascine ses professeurs qui parlent de lui comme d'un cas. « Oui, un parcours difficile, une mère effroyable, une pression à la maison et même une pression médiatique, à son âge ! Il s'est vraiment réveillé au lycée. Il a eu un déclic, indubitablement. »

Et que Tom le veuille ou non, ce déclic coïncide avec l'arrivée de Kudrow dans leur vie.

L'avocat a voulu qu'ils emménagent dans un nouvel appartement, toujours à Beverly Hills, beaucoup plus grand. Tom habite avec eux et déteste cet endroit. L'avocat a également un pied-à-terre à New York. Il y va rarement. La blonde aussi a bien été forcée de changer. Elle ne sort plus le soir, n'appelle plus Mademoiselle Green, l'a promis à genoux. L'avocat a bien failli la battre, elle hurlait, elle pleurait, elle promettait. « Plus jamais, mon chéri, je te jure, plus jamais, pardon ! Pardon, mon amour ! » L'oreille collée à la porte de sa chambre, Tom a tout entendu. Il aurait voulu être à la place de Kudrow et, si ça n'avait tenu qu'à lui, il aurait giflé la blonde à lui décrocher la mâchoire.

Depuis que sa mère a cessé d'appeler Mademoiselle Green, Tom est apaisé dans sa tête et dans sa chair. Il est *redevable* à Kudrow de cela. En revanche, il refuse de participer à leur parodie de couple modèle, de dîner avec eux par exemple.

*Entrée, plat, dessert,* quelle bouffonnerie ! La blonde se gave de paquets de chips toute la journée ! Tom préfère manger un sandwich dans sa chambre, « j'ai du travail, maman ». S'il continue comme ça, il intégrera une des meilleures universités des États-Unis et donc du monde.

Mais la blonde veut gagner *son* argent.

Son agent lui propose une chose folle.

« Ce serait fantastique !

— C'est pas une idée de génie, ça ?

— Oh, si ! Mais la production est d'accord ?

— Tu parles, ils ont sauté sur l'occasion, ça va être un carton. »

Beaucoup de gens se sont demandé comment elle avait réussi à convaincre Michael C. Kudrow, avocat respectable et respecté, de participer à cette comédie grotesque : un show de télé-réalité, mon Dieu ! Le *Vickie Show* !

La production accepte toutes les conditions de l'avocat. La blonde et lui ne seront pas un couple officiel, dormiront dans des chambres séparées, ne seront jamais filmés s'ils s'embrassent. En règle générale, Kudrow n'est pas du genre à lui prendre la main en public.

« Vous pensez vraiment que les gens vont gober ça, une coloc ?

— Avec son visage découpé à la serpe, ça passera, il a l'air si dur. Les gens sont des crétins, ils croient ce qu'ils voient. »

En réalité, il n'est pas étonnant que Kudrow ait accepté de faire partie du programme ; la soif de célébrité, l'appât de la gloire sont des tenants de sa personnalité. Les méchantes langues colporteront même que l'avocat passait plus de temps à convaincre les médias de l'interviewer qu'à préparer la défense de ses clients.

Pour Tom, c'est un coup terrible, un coup qu'il ne pardonnera pas à sa mère. Elle n'a pas le droit de l'exposer, de l'instrumentaliser ainsi.

« Mais tu es si beau, ma citrouille, les filles ne regarderont le show que pour toi !

— Je ne veux pas.

— Et comment imagines-tu que je gagne ma vie, alors ? »

La violence de cet argument le fera plier, cependant, c'est un sacrifice immense qu'elle exige. Lui qui hait la publicité et les médias. Comment ose-t-elle lui demander ça ? Une équipe de cinq personnes quatre jours par semaine, des micros et des caméras dissimulés dans toutes les pièces de l'appartement, même dans la salle de bains, quelle horreur !

*Découvrez la vie de Vickie Smith, la célèbre playmate, de son avocat, de son fils et de Pimprenelle, whouf whouf !* La production a offert un spitz nain blanc pour l'occasion. La blonde signe pour une saison de seize épisodes plus ou moins scénarisés. Ils veulent filmer sa vie au quotidien, le public rêve de connaître l'intimité de l'avocat, ce ténor des affaires, ce loup aux dents longues, la blonde est si drôle, si spontanée, son fils est un jeune dieu et Pimprenelle a été affublée d'un nœud rose. *Comme c'est excitant !*

Il est prévu dès le premier épisode que Vickie, officiellement célibataire, parte à la recherche de l'homme idéal. Si cocasse que cela puisse paraître, on lui fait rencontrer la directrice d'une agence matrimoniale spécialisée dans les mariages avec des millionnaires. Michael C. ne pourra pas opposer son veto. Il se raisonne, c'est de la télévision, tout est faux, elle n'embrassera même pas les candidats. Il tente de dissimuler la jalousie qui le ronge.

« Non, ils ne couchent pas ensemble. Mais ils habitent sous le même toit ! Comment peut-on vivre avec la fille la plus sexy du monde et ne pas… ? La fille la plus sexy, elle en a pris un coup, ces derniers temps. Tu l'as vue ? Elle pèse au moins cent kilos. Je suis sûr qu'ils le font quand même. »

Kudrow trouve sa blonde sublime, pourtant elle n'a plus rien à voir avec l'égérie qu'elle fut, la vérité est qu'elle est presque obèse. Dans un pays où beaucoup d'hommes et de femmes le sont, celles qui la détestaient auparavant, celles qui la traitaient de poupée Barbie, de femme-objet, se rallient à elle aujourd'hui, la veulent pour marraine et porte-parole. Elle semble si heureuse malgré ses kilos en trop, elle incarne la joie de vivre et reste très féminine. Elle n'hésite pas à s'habiller en dentelle rose de la tête aux pieds, quelle leçon pour tous ces mannequins anorexiques !

Loin des caméras, la blonde a des crises terribles. Elle achète des barres chocolatées par paquets de vingt et les engloutit les unes après les autres. Elle déchire le papier d'emballage avec fébrilité. Elle n'a pas faim, juste besoin de s'emplir, mâche à peine le premier Snickers et s'empare déjà d'un autre, qui viendra combler le vide de sa bouche, engluer ses dents de caramel fondu, jusqu'à l'écœurement, jusqu'à ce que, enfin épuisé, son corps la somme de dormir pour qu'il puisse digérer cette orgie.

À son réveil, elle se sent lourde. Elle déteste être si grosse, elle se dégoûte. Elle évite son reflet dans la glace de la salle de bains, et encore plus celui que lui renvoient les yeux de son fils. Cela fait trop longtemps qu'elle a lâché prise. Elle n'a plus la force de faire marche arrière et, alors que les larmes ruissellent dans son cou dodu, elle perce de ses ongles pointus la cellophane qui entoure une boîte de six donuts glacés à la cannelle posée sur sa table de nuit.

*Ta mère la grosse vache.*

Tom a accepté de faire partie du show, que son nom s'affiche au générique, car il aime sa mère envers et contre tout, car il veut qu'elle gagne *son* argent. Mais, dès les premiers jours, il met son intelligence et son énergie à éviter les caméras plantées dans son salon.

Le show est un succès, tout ce que fait Vickie est un succès. Les gens la trouvent si attachante, l'avocat si mystérieux et Pimprenelle si joueuse ! Quant aux personnages secondaires que la production leur fait rencontrer pour les besoins du scénario, ils sont hauts en couleur, de la coiffeuse transsexuelle à la manucure étudiante en littérature, en passant par le coach sportif gonflé aux amphétamines. Mais où est Tom ? La musique du générique est entraînante, *La vie de Vickie n'a pas toujours été facile mais tu es une battante, Vickie ! Découvrez la vie de Vickie Smith, la célèbre play-*

*mate, de son avocat, de son fils et de Pimprenelle, whouf whouf !*

Où est passé le fils ? Il est plongé dans ses bouquins, jamais on n'a vu d'étudiant plus studieux dans tous les États-Unis d'Amérique. Le réalisateur prie la blonde d'aller voir Tom dans sa chambre et de trouver un « truc » pour qu'il participe. Elle s'exécute. « Tu as faim, Tommy chou ? » L'adolescent ne lève pas les paupières et répond d'un hochement de tête. Quand il est forcé de prendre ses repas avec sa mère et l'avocat, il ne décolle pas les yeux du livre qu'il a posé à côté de son assiette.

Imparable.

La blonde se souvient de sa promesse au vieux milliardaire : il faut que Tommy fasse de bonnes études, c'est très important. Kudrow entre en conflit avec la blonde à ce sujet. « Tu te rends compte qu'il se fout de nous ? » Et les producteurs sont contents parce que ça leur fait une engueulade à se mettre sous la dent. Mais l'avocat n'est pas si bête. Très vite, il décide d'abonder dans le sens de la mère et encourage Tom à travailler.

Vickie finit par craindre qu'on rompe leur contrat.

« S'il te plaît, Tommy, quand ils reviendront lundi, promets-moi de faire un effort.

— OK, maman. »

Et Tommy pose un baiser sur la joue de sa mère et elle fond de bonheur, mais, la semaine suivante, son attitude ne varie pas d'un pouce.

Heureusement pour eux, certains fans de la série décident de vouer une sorte de culte à l'adolescent. Plus il apparaît renfrogné, plus sa cote de popularité monte. Un magazine people réussit à faire sortir son bulletin scolaire, couvert de « Excellent ! » et de « Félicitations ! », et le reproduit sur une double page. Cela ajoute encore au prestige de la blonde, qui de fait devient la mère courageuse et sympathique d'un enfant extraordinaire.

La blonde est désarmante de naturel devant la caméra. D'un faux naturel, c'est ce qui est incroyable. Même le spectateur le plus sceptique se laisse prendre par ses sourires et les gags écrits à l'avance.

Trente-deux épisodes. Vickie chez le coiffeur ; Vickie fait du shopping ; Vickie part en week-end à Las Vegas ; Vickie revient au Texas ; Vickie monte à cheval ; Vickie fête Halloween, Thanksgiving, Noël… La recherche de l'âme sœur constitue le fil rouge des deux saisons et la soirée passée avec le premier candidat reste un épisode d'anthologie.

La blonde se prépare pour cette sortie comme pour une corrida. On la masse, on la poudre, on la coiffe, on l'habille, on la sangle tant bien que mal jusqu'à ce que ses seins lui remontent sous la gorge. L'avocat est là, qui observe sa reine de Saba du coin de l'œil. Vickie est si imprévisible avec les hommes. Il peut à peine lui parler ou l'approcher à cause des caméras, il se retient, son pouls s'accélère à l'idée de ne pas pouvoir la coincer entre deux portes avant son départ. « Tiens-toi bien, Vickie. » L'avocat est possessif, jamais elle ne s'est faite belle comme ça pour lui.

« Tu n'as pas des coups de fil à passer ?

— Si. J'y vais. »

Il tourne en rond, se tient dans l'embrasure de la porte, de toutes les portes d'où il peut l'apercevoir. Il est tendu, les serres écartées, prêt à fondre sur l'ennemi. Enfin, le prétendant millionnaire sonne à l'interphone, la blonde demande à Tom d'aller ouvrir, mais l'avocat s'élance déjà pour jauger son rival. C'est un petit replet qui tient à bout de bras une gerbe de fleurs colossale, des gueules-de-loup orangées. La blonde s'exclame « oh ! des fleurs, comme c'est gentil ! ». L'avocat se retourne, il croise le regard de la séductrice et il hait le millionnaire qui bave déjà sur le décolleté vertigineux. Kudrow baisse la tête, un coup de couteau dans le ventre.

Le millionnaire a prévu d'emmener la blonde dans un restaurant japonais très élégant, le plus réputé de la ville. Un chef d'Osaka fait sauter les morceaux de crevettes devant leurs yeux ébahis et Vickie joue les émerveillées. Mais, en sortant, elle dit, avec une étonnante franchise, « c'était vraiment délicieux, merci, mais j'ai faim. Si on allait manger, maintenant ? ». Les bras du vieil amoureux lui en tombent. Il vient de régler une note de cinq cents dollars pour des oursins et des tempuras de homard et elle a encore faim ? *Découvrez la vie de Vickie Smith, la célèbre playmate.* Pas de doute, elle sait faire son show. Elle l'entraîne dans un Texas Super Grill et commande un train de côtes de porc à la sauce barbecue.

« C'est servi avec quoi ?

— Des frites, ma beauté. »

Vickie bat des mains, et encore quand arrive le plat et que le serveur leur noue des bavoirs géants autour du cou.

« Avec ça au moins vous pourrez vous en mettre partout. Ha ha ! »

La blonde plante ses petites canines étincelantes dans les os caramélisés et le millionnaire fait semblant d'avoir faim, mais ne convainc personne. Lui qui s'imaginait, à l'heure qu'il est, commander une bouteille de champagne et refermer la porte de la chambre d'hôtel en disant au cameraman « merci, bonne nuit… à demain ! ».

La bouche framboise de Vickie s'ouvre et dévore et le millionnaire pousse un gros soupir de contrariété.

« Je pourrais avoir une tequila ? » demande-t-elle de sa voix d'ange enjoué. Le soupirant lève la main pour appeler le serveur, et elle ajoute « avec du jus de cornichon, s'il vous plaît ».

## 11.

Doc Cary mesure la distance qui sépare les deux mamelons.

« Il faut refermer maintenant. »

Sur la table s'alignent les petites boîtes qui contiennent des aiguilles aux courbures différentes. La panseuse continue à découper des compresses.

Pour recoudre les aréoles, le chirurgien commence par les attacher aux quatre points cardinaux, le mamelon se transforme progressivement en un camélia rouge et boursouflé. Doc Cary pique, Doc Cary coupe les seins de la blonde, pour la quatrième fois. Doc Cary sait ce qu'il fait. Avec la liposuccion et cette perte de poids phénoménale, il fallait de plus petites prothèses. La blonde a confiance en Doc Cary, il s'y connaît en proportions.

« Vous serez sublime ! »

Autour de l'aréole, un trait noir se dessine, comme un chemin en point de croix.

Iris n'est pas une jeune fille populaire, elle a deux ou trois amies qui, comme elle, portent de petits pulls en mohair dans les tons pastel, des jupes plissées très courtes et des chaussettes hautes recouvrant leurs genoux. Iris et ses amies mettent leur sac à dos sur une épaule et tiennent leurs classeurs fermement contre leurs poitrines d'adolescentes. Les petits tétons bourgeonnant sous le mohair du pull le troublent, *terriblement*. Iris a les cheveux châtains mi-longs et la peau pâle. Elle est plutôt jolie, sans être belle. Il émane d'elle une sorte de *dignité*. Elle n'est pas du genre à ricaner, à flirter ou à lancer des coups d'œil par-dessus son écriture fine et penchée. Du moins, c'est ainsi que l'imagine Tom, ils ne sont pas dans la même classe.

Depuis le début de l'année scolaire, ils se voient dans les couloirs du lycée, uniquement. Et il aime la façon dont elle croise son regard. Elle se déplace dans une sorte de halo de rigueur. Iris est petite et ses yeux en amande sont démesurés. A-t-il seulement entendu le son de sa voix ? Tom n'oserait pas l'aborder, il n'aurait aucun prétexte pour le faire. Tom ne l'a jamais vue avec un garçon. Il ne se pose pas cette question, ne la met pas en scène, se contente de l'observer longuement, avec intensité. Iris a un menton pointu qui lui donne des airs de chatte.

Tom ignore – ou feint d'ignorer, il est toujours difficile de faire la différence – qu'il est devenu la star du lycée. Maintenant, les filles ne sont plus amoureuses de lui en secret. Elles chuchotent et gloussent sur son passage. Dans le couloir, alors que retentit la sonnerie du début des cours, au milieu des jacassements pressés des étudiants, l'impensable survient : Iris s'avance vers lui, sans ciller littéralement, les yeux bien ouverts. Tom ne sait pas si les autres peuvent les voir ou s'ils sont seuls dans le couloir à ce moment-là, car tout se brouille et son cœur cesse de battre. Elle se place en face de lui, le dos droit. Tom a au moins une tête de plus que la jeune fille, elle plante ses yeux dans les siens et l'invite à son anniversaire. Tom ne comprend pas bien de quel anniversaire il s'agit, l'anniversaire d'Iris ? Samedi. Les phrases que prononce l'adolescente ne parviennent pas à faire complètement sens. Il y aura un autre garçon de la classe de Tom, que Tom ne connaît pas, ou peut-être pas. Est-ce qu'il viendra ? C'est à partir de sept heures. Tom répond oui. Comment peut-il se mettre en danger à ce point ? Tom ne parle à personne, normalement.

Le pull en mohair frémit. Le garçon se perd dans la contemplation des ongles carrés coupés très court de la jeune fille. Il lui tend le cadeau emballé dans un papier d'argent, le libraire a bien fait les choses. Il s'agit d'un livre sur les étoiles et les trous noirs, *Trous noirs et distorsions du temps* de Kip Thorne. Elle ne rit pas, le remercie, ils partageront cela. Tom est passionné d'astrophysique. Tom ne partage rien avec personne, normalement.

Il se retrouve seul avec elle dans sa chambre, il aime *absolument* cette pièce rose à la moquette épaisse. Il voudrait ouvrir chaque tiroir et regarder ses pulls, ses chaussettes, ses sous-vêtements. Les tiroirs sont fermés, mais il imagine, l'imagination de Tom est brûlante, les morceaux de tissu alignés de manière parfaite. Iris est si organisée, ses chemisiers sont certainement rangés en ordre chromatique. Tom admire Iris pour cela, pour l'édredon immaculé posé sur le lit et les coussins en dentelle. Tom veut la voir dormir, caresser son visage. Comment se sont-ils retrouvés seuls dans la chambre d'Iris qui garde toujours les yeux ouverts ? Tom prévoit que s'il l'embrasse, elle ne les fermera pas. Lui a l'intention de l'étreindre paupières scellées. Iris est si fine, si délicate. Il s'avance vers elle et, du bout de l'index, effleure son pull, au niveau de la clavicule, à l'encolure, là où les filaments duveteux se posent à la lisière de la peau.

La chair d'Iris est parfaitement blanche. Le vide s'emplit de tendresse. Les cheveux d'Iris sont fins et soyeux. Leurs visages sont en sueur et leurs peaux collées l'une contre l'autre. Elle a retiré son pull d'un geste froid et posé. Tom a senti un frisson lui parcourir l'échine, ses mains se sont avancées vers le nombril d'Iris. Elle n'a pas souri, n'a pas tremblé. Leurs respirations faisaient un bruit de soupir douloureux. Où étaient les autres, les invités de l'anniversaire ? Tom voulait connaître Iris, goûter le grain de sa peau. Elle a crié, pas un cri fort, ni aigu, mais *profond*. Son désir se mêlait à la peur, il appréhendait le corps nu d'Iris, ses jambes fermes, presque athlétiques. Il se souviendrait de la moquette feutrée, de la sensation pure de la laine de la moquette quand ils se sont abattus sur le sol, un picotement, une chatouille électrique. L'odeur des aisselles d'Iris est citronnée comme un rêve acide. Iris le regardait, elle ne le quittait pas des yeux, son menton de chatte pointé vers lui.

Iris est partie, elle est redescendue voir les autres, lui est resté allongé sur la moquette rose, le dos piqué par ses brosses minuscules. En bas, les voix se sont estompées, il s'est endormi. Iris le réveille en lui touchant la joue. La joue de Tom est moite.

« Il faut que tu partes, maintenant.
— Oui. »

Ils ne se sont pas embrassés pour se dire au revoir. Les lumières de la maison étaient éteintes, Tom a traversé le salon d'Iris à tâtons. Engourdi, il a conduit jusque chez lui, c'est à peine s'il a reconnu le chemin. Iris est certainement le plus beau prénom du monde. L'appartement de Tom est silencieux, immobile. Personne. L'avocat est à New York et sa mère à la clinique.

Doc Cary mesure une dernière fois. Il place les instruments ensanglantés dans un bac en métal tressé. Demain, le Doc expliquera à la blonde que tout ça finira par se retendre et avoir l'air naturel. Doc Cary est un salaud et un menteur. Il faut dire que les cicatrices laissées par les dernières prothèses n'étaient pas belles à voir. On avait trop tiré la peau. Était-ce sa faute à lui si la blonde était devenue boulimique ? Et maintenant qu'elle a tant maigri, il fallait remodeler – remodeler était le mot employé par les gens de sa profession –, il fallait une liposuccion du ventre, des hanches et des cuisses. Ça laisserait des traces un peu violacées mais discrètes, si tout allait bien.

*« Bonjour, je m'appelle Vickie Smith et, grâce à Dietil, j'ai repris ma vie en main. J'ai perdu vingt-cinq kilos en six mois et je ne les ai pas repris ! Avec Dietil, c'est facile ! »*

Quand il a compris qu'ils ne signeraient pas pour une troisième saison du *Vickie Show*, quel coup de génie a encore eu son agent ! Dietil cherchait une égérie avec de gros mollets. Dietil, le coupe-faim numéro un des ventes ! Toute l'Amérique avait commenté la prise de poids de la blonde. Avec ces vingt-cinq kilos en moins, elle revenait sur le devant de la scène de façon surprenante. Il n'a pas mis longtemps à convaincre Dietil, et il a négocié un coach sportif, un nutritionniste et une diététicienne. La blonde trouve toujours un moyen d'éviter les séances du premier et ignore les conseils des deux autres car elle a une *volonté de fer*. Elle a inventé son propre régime : légumes crus et Coca Light.

*« Un comprimé avant chaque repas et je me sens rassasiée avant même d'avoir commencé à manger ! Avec Dietil, c'est facile ! »*

En plus du Dietil, elle prend des compléments alimentaires, des oligoéléments, des vitamines, et aussi des laxatifs. Elle a sérieusement réduit l'alcool. Heureusement que la cocaïne ne fait pas grossir.

*« Avec Dietil, j'ai repris ma vie en main, faites comme moi, vous verrez, avec Dietil, c'est facile ! »*

Iris pose la tête sur l'épaule de Tom. Ils se connaissent si bien, ils sont ensemble depuis deux ans. Les tiroirs d'Iris n'ont plus de secret pour lui. Il les ouvre encore, parfois. Iris s'amuse de le voir ainsi fasciné par ce qui lui appartient. Tom aime avoir ce droit, comme il a le droit de fouiller dans les placards de sa mère. La mère de Tom s'accroche encore à son fils, elle est *collante.* Jamais Tom ne présentera Iris à la blonde. L'année dernière, quand il a été pris à la très prestigieuse université de Harvard, Tom a préféré aller à l'université de Californie, à Santa Barbara, pour être avec Iris. Michael C. n'a pas compris, il a fait une scène.

L'avocat n'est pas le père de Tom, mais il a plaidé à la blonde que le vieux milliardaire aurait été déçu, que Tom gâchait son avenir, étudier à l'université de Californie, à Santa Barbara, qui est huitième alors que Harvard est quatrième en astrophysique, c'était stupide. Il n'en démordait pas. « Harvard, c'est autre chose tout de même, John Kennedy a été élève à Harvard ! » Kudrow avait été élève à Harvard. La blonde a pleuré, elle n'avait pas fait d'études, elle ne savait pas. Elle pleure toujours lorsqu'on parle du vieux milliardaire. Elle respecte le choix de son fils. « Harvard ou pas, qu'est-ce que ça change ? Tommy est brillant, *brillant* ! Où qu'il aille, il réussira. » L'avocat s'est vraiment énervé, la blonde était trop conne. Pour défendre sa mère, pour que Kudrow arrête de s'en prendre à elle, Tom a avoué.

« J'irai à l'université de Californie comme Iris. »

La blonde a été tellement estomaquée que son fils ait une petite copine.

« Pourquoi tu ne m'as rien dit ? Pourquoi tu ne me racontes jamais rien ? Qui est cette Iris ? Depuis quand êtes-vous ensemble ? C'est sérieux ? Tu es amoureux ? »

Cette fois, Vickie a pleuré sans retenue, à en devenir *laide*. Elle se sentait trahie. Depuis, elle n'a cessé de demander à Tom de lui présenter Iris, mais il refuse. Jamais il ne montrera Iris à sa *mère la pute*.

Avec Iris, Tom sèche les cours. Il n'est plus si sûr de vouloir être astrophysicien ou astronaute ou quoi que ce soit. Tout ce qu'il aime, c'est faire l'amour avec Iris, ou des cocktails. Les cocktails de Tom et d'Iris sont leur secret. C'est Tom qui s'occupe des dosages. La blonde ne voit rien, elle ne tient pas les comptes des médicaments qu'elle prend. Et heureusement, l'avocat ne s'est jamais mêlé de ça.

Iris change tout. Elle est la raison principale de l'amaigrissement de la blonde, sa *véritable* motivation. De nombreux psychiatres ont dit, après coup, que Dietil avait agi de manière irresponsable en choisissant la blonde pour égérie, car tous savaient qu'elle était fragile psychologiquement. Dietil ou pas, elle aurait perdu ces vingt-cinq kilos, pour Iris. La jeune fille représente, bien au-delà d'un premier coup de canif œdipien, une prise de conscience effroyable. Ceux qui l'ont décrite comme une rivale de la blonde se trompent. L'amour que Vickie porte à son fils est envahissant, mais généreux. Elle ne vit que pour le bonheur de Tom, et sans la connaître elle aime déjà la jeune fille qu'il a choisie. Mais si Tom a caché Iris, c'est qu'il a *honte* de sa mère, c'est cela qui lui est insupportable, cela qui la brise, la force à se reprendre et à *changer*. La blonde donne raison à Tom. Tom a toujours raison à ses yeux. Elle doit faire des efforts pour se montrer à la hauteur d'Iris.

Changer de corps pour changer de vie. Depuis ses débuts, c'est en modifiant son aspect physique qu'elle a forgé son destin. Ses cheveux, ses fesses, ses seins sont ses seules armes. Appréhender le monde, pour la blonde, passe souvent par le prisme d'une décoloration et, avec le temps, sa manière de faire face aux problèmes revient à s'ajouter ou à s'ôter des centimètres.

Ce n'est plus sa chambre de jeune fille qu'il aimait tant, le souvenir de la moquette restera à jamais gravé dans sa mémoire, mais un canapé en velours à côtes marron et il se sent bien là, à côté d'Iris qui est si pâle et *énigmatique*. Elle comprend Tom tacitement. Il ne parle pas de sa mère, ni à Iris ni à personne. Mais Iris sait. Ce soir-là, elle lui dit « si tu veux, on regarde ensemble ».

Car la blonde a *encore merdé*. La veille, elle devait remettre un prix aux Rock & Pop Music Awards, la plus importante cérémonie dans le monde de la musique. Depuis des semaines, elle se préparait à être belle et à être blonde pour décerner le prix de la meilleure chanson de l'année. Toutes les plus grandes stars seraient là et l'émission retransmise en direct rassemblerait des dizaines de millions de téléspectateurs.

Avec Dietil, elle est souvent appelée pour des shows, des galas et des avant-premières, cela est prévu, elle doit apparaître sur les tapis rouges un certain nombre de fois par mois et, pour ces occasions spéciales, on lui adjoint les services d'une habilleuse. Les ventes de Dietil ont explosé depuis qu'elle les représente. L'avocat a renégocié son contrat. L'avocat est *très fort.*

Pour cette remise de prix devant le gratin musical de la planète, l'habilleuse a trouvé à la blonde une robe en lamé argent qui lui donne des airs de sirène et sculpte son corps de manière irréelle. Elle apparaîtra en mutante, avec ses faux cils argentés et sa bouche nacrée translucide. Sa taille est serrée sous la robe par un corset invisible. Ses seins semblent plus gonflés que jamais. Les bretelles qui retiennent son bustier sont si fines, elles lui scient les épaules. Elle paraît plus maigre qu'une top-modèle. Elle a trente-huit ans mais on ne lui donne pas d'âge. Ses cheveux platine sont très longs maintenant, ils lui descendent sous les seins, le coiffeur les a crantés en vagues et parsemés d'une sorte de laque pailletée bleutée pour un effet spectral. Quatre heures de coiffure, six heures de préparation en tout. Elle irradie.

Elle a bu du champagne, du Dom Pérignon. Tous l'appellent « chérie », ils sont stupéfaits par la métamorphose qui s'est produite sous leurs yeux. Cette grande fille pâle et squelettique avec des cheveux filasse quand elle a passé la porte du studio et qui, petit à petit, à force de crèmes et de poudres et de sangles, est devenue cette bombe, une femme fantasmée, à peine humaine. Même l'avocat a été surpris, la blonde qui s'appuie à son bras est méconnaissable. Ces postiches, ces paillettes, c'est simplement fou. Elle a trop bu pour tromper l'attente, elle a pris des cachets pour se croire désinvolte. Elle s'agrippe au bras de l'avocat, titube presque quand ils montent dans la limousine blanche.

L'arrivée est spectaculaire. Dès qu'ils l'ont reconnue, les photographes ont fondu sur la blonde, si parfaite, si extraterrestre, si étincelante. Elle avait mal à force de sourire. Elle était si heureuse. « Chérie ! Chérie ! » Et il avait encore fallu attendre, dans les salons, dans les coulisses. « Une coupe de champagne, madame ? » Kudrow lui a dit d'arrêter de boire. « Laisse-moi tranquille ! » L'alcool la rend plus forte pour tenir tête à l'avocat.

C'était couru d'avance. « C'est à toi, chérie, vas-y, n'oublie pas l'enveloppe ! » Les hurlements de la foule quand apparaît la créature. Elle *est* une sirène et ils sont une mer de visages, une marée humaine fabuleuse, leurs yeux brillent dans l'ombre, leurs yeux brillent pour elle. La blonde est prise de vertige et veut lever la main pour leur faire *coucou*, mais elle sent ses deux bras s'étirer vers le ciel, malgré elle, son corps ondule, malgré elle, elle s'adresse au public comme transportée par le flot des applaudissements, électrisée.

L'homme en smoking la regarde un peu ahuri, c'est le maître de cérémonie, il sait faire rire les gens, la blonde doit ouvrir l'enveloppe et lire le nom. *Quelle enveloppe ?*

« Celle que vous avez dans la main, Vickie !

— Oh ? oui... »

Des grelots hilares parcourent la salle. La scène vire au cauchemar. L'homme en smoking bouge les lèvres, mais aucun son ne sort de sa bouche, les projecteurs aveuglent la blonde, le sol se met à tanguer, il y a trop de lumière, elle est une sirène solaire.

« Il faut donner le nom, Vickie. Vickie, vous m'entendez ? Le nom écrit sur la feuille, ouvrez l'enveloppe !

— Pour... quoi faire ? »

Elle est prise de tremblements. Elle s'agrippe au petit carré de papier blanc plié. L'impatience muette de l'auditoire s'abat sur elle comme une chape de plomb. La farce a assez duré, certaines femmes pincent le nez. « Bon sang, elle est complètement bourrée ! » Le maître de cérémonie s'avance vers la blonde et lui prend l'enveloppe des mains, elle entend les gens rire à gorge déployée et se force à sourire, elle est tétanisée. Les plus naïfs pensent que c'est un numéro préparé, qu'elle joue les filles stupides, mais ceux qui riaient de bon cœur au départ comprennent maintenant que sa défonce est réelle. Le présentateur improvise, veut tourner la situation à son avantage, ne pas perdre la face. Il décide de sacrifier la femme dans sa robe argentée.

« Pour quoi faire ? Tu as raison, Vickie, il n'y a sûrement pas de milliardaire dedans ! »

Rires et roulements de tambour.

« Le prix de la meilleure chanson de l'année est décerné à… »

En régie, on s'affole, la caméra survole la salle alors que des coulisses la blonde voit surgir deux hommes en noir, deux malabars géants qui la soulèvent et l'emportent en un éclair sans qu'elle puisse leur opposer la moindre résistance. La musique assourdissante hurle autour d'elle. Quand le maître de cérémonie annonce le vainqueur, il est seul en scène. La blonde a disparu.

Le lendemain, elle fait les gros titres.

VICKIE SMITH RESTERA TOUJOURS RONDE. Son agent dément dans un communiqué officiel. « Vickie Smith n'était ni ivre ni sous l'emprise de la drogue, elle était simplement nerveuse. » Les présentateurs vedettes de la télévision se frottent les mains. « Oh ! On veut entendre ça. » Ce soir, elle est invitée sur le plateau de John Springfeld – elle a toujours adoré John Springfeld –, elle va s'expliquer de son comportement de la veille. Elle a tout bien révisé, doit absolument se rattraper. Son agent lui a payé deux heures de media training. Elle est prête. Elle tremble, la pauvre chérie. Plus de sirène, ses cheveux sont attachés en queue-de-cheval haute, l'habilleuse lui a trouvé une petite robe toute simple.

« Oui, je suis comme ça, je suis très timide, j'ai peur de ce genre de cérémonie. L'idée de parler en public, de m'adresser à ces stars me terrorise.

— Mais vous êtes vous-même une star !

— Oh, non, John ! Pas comme *eux*.

— On raconte que vous êtes tombée, après, dans les coulisses...

— Il faisait très sombre, il y avait des câbles électriques partout. N'importe qui aurait trébuché. J'ai trébuché, je ne suis pas tombée. Et je dois dire aussi que la veille, j'avais été malade, j'avais vomi toute la nuit. Vous comprenez, dans ces cas-là, on n'est pas très en forme. »

*Pathétique.*

« Vous avez encore perdu du poids, vous ne pensez pas qu'il faut vous arrêter maintenant ?

— Oui, je suis d'accord avec vous, John. C'est difficile de se stabiliser à un certain poids, mais avec Dietil, nous y travaillons. J'ai beaucoup de volonté. »

Elle a demandé à Tom de la regarder.

« Tu me diras si j'ai été bien ? »

L'agent a négocié pour que l'émission ne soit pas en direct en cas de gros problème, mais avec John Springfeld on enregistre dans les conditions du direct, une fois qu'une chose a été dite, les producteurs en font ce qu'ils veulent. Elle prie pour ne pas avoir dérapé. Elle a vraiment fait de son *mieux*.

« Tu regarderas maman, ma citrouille ?

— M'appelle pas comme ça.

— Tu vas voir Iris ? Elle aussi va me regarder ?

— Je sais pas, maman, j'ai rien prévu de particulier. »

La blonde voudrait qu'Iris l'aime et cette idée lui broie le crâne. Ce matin au réveil, elle avait si mal au cœur. Elle se souvenait à peine de son retour de la cérémonie des Rock & Pop Music Awards, voulait qu'on lui apporte un bon café noir, voulait vomir.

« Ça s'est mal passé ? »

Elle s'est levée, a marché, cahotante, vers les toilettes de la salle de bains, son estomac s'est tordu et a reflué une bile salée. Elle a touché du doigt ses lèvres sèches et boursouflées et demandé à nouveau, d'une voix à peine audible, « ça s'est mal passé ? ».

Le profil de bec d'aigle de l'avocat reposait encore sur l'oreiller. Il a ouvert un œil mauvais et lui a répondu dans un grognement « tu étais ivre morte, tu sais très bien ».

Elle fait un effort, se revoit blonde et scintillante, se souvient de ces faux cils argentés qui pesaient si lourd sur ses paupières.

« Non, je ne sais pas.

— Si, tu sais. »

Les deux hommes en noir qui l'emportent dans la nuit des coulisses et puis plus rien.

« Non, je ne sais pas. »

Elle a pensé à Tommy. Tommy avait dû la voir et Tommy avait eu honte d'elle une fois de plus. Quelle heure était-il ? Elle voudrait appeler son fils et lui demander pardon. Elle avait été *bête*. Les caméras du monde entier braquées sur sa bêtise, les radios, les télévisions repassaient déjà en boucle l'incident de la sirène blonde hagarde, son enveloppe à la main. Même si Tom ne l'avait pas regardée hier soir, il ne pourrait y échapper aujourd'hui.

*Pardon ! Pardon !* Elle avait envie de pleurer, elle avait si mal au crâne. Elle se détestait. L'avocat s'est redressé dans le lit.

« Je te l'avais bien dit, je t'avais prévenue, Vickie, je t'ai demandé plusieurs fois d'arrêter de boire, mais non, bien sûr, madame voulait s'amuser.

— Ça va, c'est bon, t'es pas ma mère.

— Tu as commencé à quatre heures de l'après-midi ! Quand tu es montée sur scène, ça faisait huit heures que tu picolais sec, ma belle. Sans compter les saletés de cachets que tu as dû avaler dans mon dos. Tu ne m'as pas écouté, tu ne m'écoutes jamais.

— Laisse-moi tranquille. »

« Si tu veux, on regarde ensemble. »

Iris pose sa joue sur l'épaule de Tom. Le cocktail commence à faire son effet. Tom l'a bien chargé ce soir. Codéine, Ritaline et gin. Le visage de John Springfeld est comique et la blonde est *pathétique.* Iris se tait, comme son menton est joli. Plus rien n'est sérieux, tout est drôle et les réponses de Vickie Smith sont absurdes. « Vous comprenez, dans ces cas-là, on n'est pas très en forme. » Tom oublie que la blonde est sa mère et il rit comme n'importe quel téléspectateur face à tant de mauvaise foi. La tête lui tourne un peu et son cœur s'emballe, Iris dit qu'avec la Ritaline on a l'impression de s'envoler. Il y a peu de chances pour que Tom devienne astronaute, il a planté presque tous ses derniers partiels. Iris passe une main dans ses cheveux et l'embrasse doucement. Tom se noie et se laisse aller à l'amour. Il n'aime qu'Iris. Il a vingt ans.

## 12.

Elle est un clown triste, mais elle n'a pas cédé. L'avocat a eu beau la menacer, lui tirer les cheveux, la gifler, elle a gardé le bébé. Jamais elle n'aurait tué l'enfant qu'elle porte. Elle devrait être heureuse ; ils l'empêchent de l'être. L'avocat, son agent, les photographes, ils sont des chiens qui ne la lâcheront plus. Elle devrait se réjouir, elle qui est une *maman*. Elle se souvient de sa première grossesse, de sa mère et de M. Peterson, elle se rappelle leurs insultes et leurs silences hostiles ; pourtant, elle avait réussi à les ignorer, à s'enfermer avec son bébé à double tour à l'intérieur d'elle-même.

Elle se revoit sur le canapé, épanouie, ravie, un pot de glace à la vanille posé en équilibre sur le nombril. À l'annonce de sa grossesse, Dietil a rompu son contrat. L'avocat était furieux. « Tu l'as fait exprès ! Sale pute ! Me faire ça à moi, un enfant dans le dos ! » La blonde a juré que c'était un accident. Mais le soir, dans la salle de bains, avant d'aller se coucher, elle a posé une main sur son ventre et elle a parlé en secret à bébé. *Pardon, mon bébé, tu n'es pas un accident, pardon d'avoir menti. Depuis que Tom est parti, je voulais être encore maman, je te voulais toi, mon bébé.*

Pourtant, lorsque son gynécologue lui a annoncé la nouvelle, la blonde a bondi de surprise. Un bébé était impossible car elle prenait la pilule. « Vous avez dû l'oublier ce soir-là. » Quel soir ? Elle ne gardait aucun souvenir de ces derniers temps, juste une confusion, un brouhaha. Un soir d'ivresse ? Cela faisait un moment que l'avocat ne la touchait plus. Elle le suçait encore de temps en temps et ils faisaient chambre à part. Il s'était peut-être laissé aller ? La blonde ne ment pas quand elle dit qu'elle souhaitait à nouveau être mère, mais ce bébé tient du mystère, pour ne pas dire du miracle. *Toi qui as été une maman, merci, merci pour cet enfant.* La blonde n'est pas croyante, parfois elle fait juste une petite prière à la Vierge Marie.

« Je n'en veux pas, Vickie. Tu vas t'en débarrasser, tu m'entends ? »

Elle ne cédera pas, même si l'avocat est très *malin.* « Je te quitterai le jour de ton accouchement. »

Elle pense bon débarras, laisse-moi seule avec mon bébé, je saurai très bien me débrouiller, j'ai élevé Tommy, je recommencerai. Mais elle a peur, sera-t-elle capable *à nouveau* ? Trouvera-t-elle la force ? Elle doit se concentrer et parler à bébé, lui expliquer la situation. Son cœur bat trop vite et elle craint une crise de panique. Le docteur a été formel, elle doit arrêter de mélanger tous ces médicaments, les anxiolytiques, les tranquillisants, les antidépresseurs, les somnifères, les antidouleurs, sans parler de la cocaïne et de l'alcool.

« Vous ne voulez pas faire de mal à votre enfant ?

— Oh ! Non, bien sûr que non, Doc.

— Alors, il va falloir être forte.

— J'ai beaucoup de volonté. »

Quelques heures plus tard, à peine, ses forces l'abandonnent. Elle a pris de trop mauvaises habitudes. Vicodin, Valium, morphine, Demerol, un petit de chaque, un petit seulement. Elle ne pourra pas tenir, une tristesse hystérique l'accable, elle qui se réjouissait tant à l'idée d'avoir un autre bébé sombre dans une dépression sordide.

« Regarde-toi ! Tu es en manque, ma pauvre fille. Va te faire avorter et me fais pas chier. »

Elle voudrait aimer la petite graine qui pousse à l'intérieur d'elle, mais elle est trop malheureuse. Son agent l'a traitée de *folle*, d'*inconsciente*, il lui a crié dessus pour son *bien*. Et l'annonce fait les choux gras de la presse à scandale et les Américains pensent qu'elle fera une mère exécrable. Même John Springfeld y va de ses sarcasmes. Ce soir-là, la blonde avale un pot d'un litre de glace à la fraise, puis elle se fait vomir douloureusement.

Elle aurait tant besoin de Tom, mais Tom étudie l'astrophysique. Elle est si fière, et tellement humble quand il lui parle de ses études. Un jour, elle est tombée sur un livre d'équations qu'il avait laissé traîner. Les lignes de symboles lui ont semblé appartenir à une langue magique et merveilleuse. Maintenant, elle imagine son fils penché sur un tableau noir devant une assemblée de vieux sages aux cheveux blancs, une craie à la main, traçant des lignes et des courbes venues d'un autre monde. Comme elle l'admire de pouvoir maîtriser ce langage.

Tom la trouve touchante. Devant les yeux frits d'amour de sa mère, son armure se brise, il ne peut pas lui en vouloir. C'est pourquoi il doit se tenir éloigné d'elle, s'il veut vivre sa vie d'homme. Ces temps-ci, la blonde est en grande souffrance, il le sent, il le voit, mais il veut se protéger. L'arrivée du bébé l'agite de sentiments contraires. De manière viscérale, Tom souhaite rester l'enfant chéri, le fils unique et à la fois il est soulagé à l'idée qu'ils seront deux, désormais, à partager le fardeau des larmes de la blonde. Avec un nouveau bébé, elle ne sera plus seule, Tom n'aura plus la responsabilité d'être le fils consolateur, il pourra abandonner sa mère plus facilement. Si Tom s'interrogeait franchement, la peur l'emporterait, une peur panique pour ce fils ou cette fille de pute à naître, et les souffrances, la noirceur qui l'attendent.

Sa mère est un déchet, elle a de vrais accès de folie maintenant. Ils ont eu raison d'elle, plus rien n'est stable dans sa vie. Tom pense avec effroi qu'elle ne saura pas s'occuper de ce bébé. Depuis Dietil, son état de dépendance à un nombre impressionnant de médicaments et de drogues en tout genre s'est considérablement aggravé. Elle a perdu son côté nonchalant, la paresse somnolente de ses jeunes années derrière laquelle elle savait trouver refuge, elle est devenue nerveuse, tendue à l'extrême, même son visage a changé et ses grands yeux bleus rêveurs sont aujourd'hui constamment traversés d'expressions de crainte. Quant à l'avocat, il sera un père terrifiant.

À la manière qu'il a de lever les sourcils quand elle parle, de hausser les épaules sans prendre la peine de lui répondre, de l'ignorer ostensiblement, de n'employer que l'impératif pour s'adresser à elle, de lui dire que son corps de blonde siliconée le dégoûte, de la forcer à le prendre dans sa bouche, parfois plusieurs fois de suite avant de la repousser d'un geste brusque, « tu ne sais vraiment pas t'y prendre », on voit que Kudrow exerce sur elle une pression constante. La blonde a mal au ventre, mal à l'utérus, le gynécologue lui affirme que c'est normal. Elle ne se souvient pas d'avoir eu mal pour Tom. Quand elle s'enferme dans la salle de bains pour s'adresser à bébé, ses mots sont noyés de sanglots.

L'avocat parle tout le temps d'argent. Il dit à la blonde que lorsque le bébé sera là, il ne paiera plus rien, elle n'aura qu'à se démerder.

« Je te ferai un procès !

— Qui me dit que c'est moi le père ?

— Oh ! Tu sais bien que c'est toi !

— On ne sait jamais avec les putes dans ton genre. Et fais-moi un procès, essaie ! Je ferai tellement traîner la procédure que toi et l'enfant vous crèverez de faim avant que je vous aie versé un seul dollar !

— Alors, rends-moi mon argent, où est passé tout l'argent que j'ai gagné ? Tu me le dois ! »

En six ans, la blonde a signé trop de chèques les yeux fermés. Elle a gagné beaucoup d'argent, mais en a rarement vu la couleur. Au départ, quand l'avocat lui a proposé de s'occuper de ses contrats, de ses affaires, de ses intérêts, elle imaginait qu'il serait comme son vieux milliardaire, bienveillant. Elle était heureuse qu'on veille sur elle. Très vite, Kudrow a verrouillé les comptes, accusant la blonde d'être trop dépensière. Elle ne peut plus s'acheter une paire de collants sans lui demander la permission. Elle regrette le temps où il lui suffisait d'appeler Mademoiselle Green pour ramasser une liasse fraîche de billets et la dépenser sans compter dans la foulée.

Il a accepté de l'emmener à la clinique pour une cure de sevrage. L'avocat a toujours vu d'un mauvais œil les pratiques d'automédication de la blonde, mais il ne souhaitait pas s'en mêler. Il appelait ça « la petite cuisine de la mère et du fils ». Avec Dietil, un nouveau pas avait été franchi. Le P-DG de la marque en personne livrait à la maison les doses d'hGH – l'hormone de croissance connue pour ses effets brûle-graisse – et des sachets de méthamphétamine, autrement appelée speed – un coupe-faim, mais aussi une des drogues les plus addictives et les plus dangereuses. C'est à cette période que les véritables crises d'angoisse de la blonde avaient commencé.

Avant, elle se plaignait de points de pression dans la poitrine. Depuis qu'elle prenait du speed, elle souffrait de tachycardie, d'agoraphobie et même d'hallucinations visuelles. Cela avait *révélé* des eaux noires, profondes et effrayantes. Elle s'était juré d'arrêter cette saloperie, alors elle avait encore augmenté les doses d'anxiolytiques et d'antidépresseurs.

Depuis de nombreuses années, elle tournait avec une dizaine de médecins qui lui faisaient des prescriptions qu'elle et son fils – Kudrow avait bien observé leur petit manège – mélangeaient à leur guise. Quand le gynécologue a compris le nombre de cachets que la blonde ingérait en moyenne par jour, il lui a conseillé de procéder à une cure de désintoxication, en urgence – il espérait que la méthadone suffirait. À la maison, la blonde était devenue invivable, Michael C. ne la supportait plus. Cette cure le débarrasserait d'elle.

Une fois n'est pas coutume, il a porté sa valise avec une certaine gentillesse et l'a accompagnée jusque dans sa chambre – ou plutôt sa suite –, la plus grande, la plus belle de la clinique. C'est une clinique où le personnel est habitué aux patients célèbres, à leurs exigences – des draps de soie, de l'eau d'Évian –, ces choses si importantes qui ne changent strictement rien. La blonde va devoir rester au moins trois semaines. L'avocat a été *gentil* de lui porter sa valise. Elle a tant besoin de repos, et de parler à bébé, elle n'a pas eu le temps de faire des présentations correctes. Quand l'avocat est gentil avec elle, soudain, son cœur est apaisé. Elle se prend à rêver qu'ils formeront bientôt une famille normale, la maman, le papa et le bébé. Elle imagine que l'avocat aimera cet enfant.

C'est une chambre avec des murs jaune paille qui donne sur un grand parc. « Tu seras bien ici. » L'avocat ne pourra pas rester dormir avec elle, même la première nuit, il a beaucoup de travail, mais il viendra la voir tous les jours. Vickie a envie de pleurer. La voix de l'avocat est si douce, si *aimable*, qu'elle trouve la force de lui dire au revoir et de ne rien lui montrer de sa peur de se retrouver seule, sans cachets.

Le lendemain, Tom vient lui rendre visite. Elle n'a pas réussi à dormir de la nuit et lui fait des yeux de chatte suppliante. Tom reste inflexible.

« S'il te plaît, ma citrouille, juste un petit somnifère et je ne le prendrai pas avant ce soir, promis, il faut que je dorme, tu es d'accord, non ?

— Pense au bébé, maman, accroche-toi à l'idée du bébé. »

Il essaie de se faire le plus coulant possible, mais il est en colère contre la blonde, cette femme inconséquente, infoutue de se priver de quoi que ce soit alors que la vie d'un petit être est en jeu. Elle ne sait que geindre et s'agripper à ses vêtements et minauder *s'il te plaît, ma citrouille.* Il la méprise, il la déteste.

Iris était comme elle avant qu'il ne la quitte, toujours à le supplier, à quémander sa dose. Tom n'a pas eu de petite copine sérieuse depuis sa rupture avec Iris. Il plaît toujours autant aux filles, elles le trouvent grand et ténébreux. Il a quelques amis, rencontrés sur les bancs de l'université. Il est passé de justesse en deuxième année et a déçu la majeure partie de ses professeurs. Il alterne de grands élans de motivation avec des crises d'abattement profond. Il est devenu très tolérant à certains médicaments, comparés à ses premiers cocktails, ceux qu'il ingurgite aujourd'hui sont autrement plus chargés. Il lui en faut pour rire, car tout est si sérieux. Tout est si triste. Tom juge l'humanité chienne. Quand il pense que sa mère a charge d'âme, il est pris de nausée.

« Allez, ne t'inquiète pas, maman, tu vas y arriver, tu n'es pas seule, les gens ici sont de bons professionnels, ils vont t'aider à tenir. »

Le fils pose une main sur l'épaule de la blonde, il n'a pas confiance en elle, ne la respecte pas, ne l'admire pas, et pourtant il l'aime. Heureusement qu'elle a accepté de passer un peu de temps ici, dans cette clinique où on saura la mettre à l'abri d'elle-même. Au moment de repartir, Tom retient ses larmes. Et sa mère qui est encore sa mère le sent. Elle sait qu'il a honte d'elle et qu'il est fier d'elle, qu'il méprise sa faiblesse mais fera tout pour la protéger, alors elle tente de le faire rire, et ils finissent par pleurer tous les deux.

L'avocat les surprend, il est jaloux de leur complicité. Quand Tom se décide enfin à s'arracher aux caresses de sa mère, Kudrow, resté seul avec la blonde, lui demande ce qui ne va pas.

« Rien, tu ne comprendrais pas.

— Tu sais bien que je comprends tout ce qui te concerne. C'est cette cure ? C'est trop dur ? Tu en as marre ? Tu veux arrêter ? »

La blonde se mouche bruyamment.

« Je t'ai apporté une surprise, ma chérie. »

Il tapote la poche arrière de son pantalon. Elle s'arrête de renifler et le regarde, incrédule.

« Pour moi ? Pourquoi ?

— Pour te donner du courage et te dire combien je suis épaté que tu essaies de te désintoxiquer.

— C'est vrai ?

— Bien sûr que c'est vrai, je sais que le docteur ne se rend pas compte que ça te demande beaucoup d'efforts, alors j'ai pensé qu'un tout petit... »

Les grands yeux bleus de la blonde s'illuminent de reconnaissance. Il s'avance vers elle. Dans le creux de la paume, il tient un comprimé de morphine. « Tu vois que je te connais et que je te comprends. »

Les lèvres framboise se sont entrouvertes. Comme un prêtre déposerait une hostie, l'avocat place le cachet blanc sur le bout de la langue de celle qui porte son enfant. Et la blonde, madone camée vibrante d'amour, remercie celui qui apaise ses souffrances de femme égarée.

## 13.

Elle a perdu les eaux. Le bébé a trois semaines d'avance, mais tout ira bien. Ce sera un beau bébé aux yeux bleus comme son grand frère et comme sa mère. Ce sera une petite fille. La blonde a décidé de l'appeler Scarlett, comme Scarlett O'Hara. La blonde a toujours rêvé d'avoir une fille, elle la couvrira de rose et de rubans. Scarlett sera sa merveille, sa princesse.

Pour des raisons fiscales, l'avocat a décidé qu'elle accoucherait aux Bahamas, l'avocat est *très fort* en fiscalité. Malgré l'argent gagné par la blonde ces dernières années, « il faut faire attention », dit-il. Elle est en faillite, elle doit quitter les États-Unis. Elle n'a pas dépensé un centime, où est passé tout ce fric ? Ceux qui disent qu'elle était inconséquente avec l'argent ignorent qu'en réalité elle ne dépense plus rien depuis plusieurs années. Et elle continue d'engranger des revenus importants. Kudrow a prévendu les premières photos de Scarlett au magazine *Bravo !* pour un million de dollars. Les suppositions les plus folles courent sur cette enfant à naître. L'avocat a nié publiquement qu'il était le père pour faire courir les rumeurs et la mère n'a pas démenti. Leur vie est en stuc, la blonde se fiche de cela, ce qui compte, c'est que son bébé naisse.

Elle a trouvé les derniers mois de grossesse insupportables, a beaucoup grossi, se traîne en soufflant. Heureusement que le bébé vient avec trois semaines d'avance, car elle n'aurait pas tenu jusqu'au terme. L'avocat ne lui adresse plus la parole tant elle est devenue capricieuse. Maintenant, leur fille va venir au monde, l'avocat est coincé, il ne peut quand même pas abandonner la mère et l'enfant à l'hôpital de Nassau ! Il a beaucoup menacé la blonde, mais elle n'a plus peur aujourd'hui.

Michael C. conduit la voiture à toute allure. La blonde gémit à son côté. Il a des comptes en banque dans tous les paradis fiscaux du monde, les Bahamas sont une idée de génie, il a acheté une grande propriété, la blonde aime le soleil et les palmiers, elle se tiendra plus tranquille là-bas.

La villa est gardée, on ne peut pas y entrer comme ça, il y a des vigiles avec des dobermans. L'avocat a tout prévu, la piscine est immense. Il leur a trouvé un garde du corps, une cuisinière, une femme de ménage et une nurse pour la petite. Il sait qu'il faudra de la stabilité à cette enfant, la mère ne sera pas capable de s'occuper de son bébé. Elle n'en a pas conscience, n'imagine pas qu'on puisse la remplacer. Une nurse vingt-quatre heures sur vingt-quatre et six jours sur sept sera *pratique*, mais ce sera elle, la mère.

Elle se souvient de la manière dont Tommy s'endormait contre elle, dans la position de la grenouille, comme elle avait été heureuse d'être maman au sein de la tourmente de ses jeunes années. Et même si la situation n'est pas comparable, même si la grossesse s'est déroulée dans la douleur, elle a quand même réussi à tenir, *la plupart du temps,* elle a vraiment limité sa consommation d'alcool et de morphine, et de codéine, et de cocaïne. Elle a tenu bon, *la plupart du temps.* Avec une certaine forme de naïveté, elle pense que ça va mieux. Il faudra bien sûr qu'elle retrouve un corps normal, elle n'a pas hâte de retravailler, se fiche bien de la lumière et des projecteurs, elle est pleine d'espoir à l'idée de vivre dans cette belle maison avec son bébé, elle ne craint pas de s'ennuyer, *un bébé c'est beaucoup de travail*, l'avocat sera absent, souvent, pour ses affaires à New York et à Los Angeles, mais elle ne sera pas seule, elle aura bébé Scarlett.

La maison est royale et blanche, ses sols sont en marbre. C'était une bonne affaire, l'avocat l'a achetée comptant. La blonde a perdu les eaux alors que Kudrow était sur le point de repartir pour New York. Le bébé a dû sentir cela et a donné un grand coup de pied dans le ventre de la blonde. Un déchirement sec qui a fait sauter la mère de joie. L'avocat a dit « Bon, très bien, allons à l'hôpital ».

Kudrow conduit comme un dératé, il doit passer deux ou trois coups de fil, annuler son vol pour New York et appeler Tom pour le prévenir et qu'il vienne les rejoindre, et il grille les feux, le téléphone vissé à l'oreille et non, ça ne peut pas attendre. La blonde a ses premières contractions, un mal terrible. Si elle crie, c'est pour que l'avocat lui tienne la main et l'aime et se rende compte que leur bébé va naître, leur petite fille qu'ils appelleront Scarlett.

Les meuglements de la blonde sont effrayants ; Michael C. redoute soudain cette femme furieuse et son gros ventre. Est-ce qu'il a appelé Tom ? Oui, il a tout fait et Tom est déjà en route pour l'aéroport, il prendra le premier avion et sera là dans quelques heures. L'avocat est soulagé que Tom vienne, il ne souhaite pas se retrouver seul avec cette gorgone. Il voudrait descendre et prendre un café à la machine, mais la blonde refuse qu'il parte, il faut lui tenir la main. Elle aussi a peur maintenant.

Kudrow garde les yeux rivés sur sa montre, sur la trotteuse, la sage-femme lui a dit qu'une contraction ne durait jamais plus d'une minute. Il compte les secondes, jette un œil à l'écran du monitoring, les docteurs qui s'activent semblent aguerris. Ils vont faire une péridurale à la blonde. L'avocat aussi se détend. Elle se met à rire. « Oh là là ! je flotte ! » Il trouve bizarre qu'elle ricane ainsi bêtement ; le cœur de Kudrow se serre, ça n'en finit pas. Il est fébrile, ne voulait pas de ce bébé. Qui voudrait de la blonde pour mère de ses enfants ? Vrai, il a tout tenté pour qu'elle avorte, volontairement ou involontairement, maintenant, il est trop tard, il faut bien faire avec. La vue de cette grosse femme étalée sur la table l'écœure. Il trouve le temps long. Ils n'ont ni famille, ni amis, ni personne à prévenir, à part Tom. Quand ce sera terminé, il fera venir le photographe de *Bravo !* Est-ce qu'il avouera qu'il est le père dans une interview exclusive ? Il a appris à monnayer leur vie. La blonde est une véritable vache à lait ; Kudrow n'en revient toujours pas de la fascination que leurs aventures exercent sur les gens.

« Madame, il va falloir pousser… »

Un rayon de soleil vient frapper au carreau et inonde la pièce d'une lumière jaune d'or, douce, radieuse. Le tracé des courbes se resserre sur l'écran, les bips-bips s'accélèrent. La blonde serre la main de l'avocat. « Madame, poussez, poussez, poussez ! » Dans le jaillissement d'un hurlement primaire, la blonde pousse de toutes ses forces, la petite bouche framboise se contracte dans un rictus d'effort, l'avocat se concentre sur les dents blanches immaculées, on croirait les canines d'un animal prêt à mordre. « Poussez, madame, tant qu'on vous dit de pousser, il ne faut pas vous arrêter, allez, le bébé arrive, allez ! » Et la blonde pousse encore, son visage se crispe, son nez se retrousse. Il faut tenir. « Ne lâchez pas, madame ! »

Les ongles de la blonde s'enfoncent dans la paume de l'avocat. Leur fille va naître et peut-être que tout ira bien *après*, peut-être que ce bébé changera leur vie. « Oui, allez, c'est bien, encore un effort, on voit ses cheveux ! » *Elle est blonde, c'est sûr qu'elle sera blonde, ma fille.* Alors, l'infirmière étale le champ stérile bleu sur les seins immenses de la parturiente.

« Qu'est-ce que vous faites ? demande l'avocat.

— On prépare sa piste d'atterrissage, monsieur. »

Kudrow lève la tête. Dans les airs, porté par des mains gantées et ensanglantées, s'élève un bébé minuscule que l'on vient déposer sur le champ bleu. La blonde ne le voit pas, elle lit sur le visage de l'avocat une joie mêlée d'horreur.

Par la fenêtre se découpe un morceau de lumière dorée et soudain une tiédeur douce, une chaleur de vie, traverse le fin morceau de gaze bleue et pénètre la chair de la blonde. Une émotion infinie l'envahit, elle est inondée d'amour. La frêle créature entrouvre les fentes de ses yeux, et la mère soulève sa fille, se met à l'embrasser furieusement, la crible de baisers. Après toutes ces années, un bonheur plein, parfait, après tout ce temps où elle s'était perdue, elle renaît avec ce petit être de chair et de sang chaud.

Tom arrivera bientôt et Tom débarquera de l'avion et prendra un taxi pour les rejoindre à l'hôpital, elle et bébé Scarlett qui est si jolie. Tom a une petite sœur. Vickie a deux enfants, elle est une *maman* comblée. Tout ira mieux désormais, elle vivra aux Bahamas loin du battage médiatique ; l'avocat prendra soin d'eux, l'avocat ne les abandonnera pas ; elle s'occupera de son bébé, elle sera une mère au foyer épanouie, elle mincira et perdra son ventre, elle sera belle à nouveau, elle se fera poser des prothèses plus petites qui lui feront moins mal au dos, elle arrêtera, *peut-être*, les médicaments. Bébé Scarlett grandira magnifiquement, elles seront complices, la mère et la fille. Tom arrivera bientôt et il sera fou de joie quand il verra Scarlett. Tom adorera sa petite sœur, il sera un grand frère formidable, un astrophysicien. Le cœur de la mère se gonfle d'orgueil à cette pensée, elle a l'impression qu'elle pourrait exploser de fierté. Bébé Scarlett dort dans son berceau, ses petites oreilles sont si délicatement ourlées, on dirait deux roses. Tom est déjà dans l'avion, certainement.

Tom déteste prendre l'avion. Tom déteste l'idée de retrouver sa mère et l'avocat. De Los Angeles à Nassau, il y a six heures de vol. L'hôtesse lui proposera un café, un thé et il optera pour un gin tonic. Quelle idée d'aller accoucher aux Bahamas ! Le gin le détendra à peine, il sera angoissé à l'idée que sa mère soit seule là-bas avec le bébé. Alors que la blonde est si heureuse, au même instant elle s'est endormie paisiblement. Tom ne le saura pas. Tom essaiera de dormir lui aussi, mais n'y arrivera pas. Il reprendra un gin tonic et regardera deux films, un de karaté et un de guerre. Les acteurs se battront en poussant des cris, leurs armes s'entrechoqueront dans un bruit métallique, cela accentuera sa nervosité. Kudrow lui a proposé de venir le chercher à l'aéroport. « Non merci, c'est bon, je prendrai un taxi. » Après quatre gin tonics, Tom arrivera enfin à ce fichu aéroport de Nassau, la chaleur sera étouffante et la nuit déjà tombée. Tom aura un mauvais pressentiment.

Dans le taxi, son angoisse sera si forte qu'il fouillera fébrilement la poche arrière de son sac à dos et en sortira deux comprimés, un Lexapro et un Zoloft, qu'il gobera coup sur coup, sans même avaler une goutte d'eau. Le Lexapro et le Zoloft sont deux antidépresseurs inhibiteurs de la recapture de la sérotonine, mais Tom ne le saura pas ; Tom étudie l'astrophysique, pas la toxicologie. L'effet sera quasi immédiat, Tom sentira tout se détendre à l'intérieur de lui. Le taxi s'arrêtera sous la lumière orange des réverbères qui se dressent devant le grand hôpital. Tom pénétrera dans l'enceinte et demandera qu'on lui indique la chambre de sa mère.

Il se tiendra sur le seuil, hésitant, et la blonde s'éveillera, son visage s'illuminera. « Tom, ma citrouille, tu es venu ! Comme tu as fait vite ! » Tom croisera le regard renfrogné et contempteur de l'avocat derrière ses sourcils en accent circonflexe et aura l'impression qu'on lui assène un coup de poing dans le ventre. « Tom, regarde ! Regarde mon bébé comme elle est jolie ! chuchotera la mère pour ne pas réveiller le nourrisson. C'est ta petite sœur, mon amour. »

Tom s'approchera et se penchera avec une précaution infinie au-dessus de la boule de chair emmaillotée. Il devra s'accrocher au rebord du berceau car il sera pris d'un léger vertige. Sa mère lui tendra les mains et il viendra s'asseoir sur son lit, sonné, en silence, et la blonde blottira sa tête contre la cage thoracique creuse de son grand garçon. Ils resteront ainsi longtemps, la blonde encore un peu endormie, fatiguée par l'accouchement mais apaisée, ravie de serrer son fils adoré dans ses bras, de pouvoir ainsi profiter de lui. Tom aura besoin d'un remontant, même si dehors il fait tout à fait nuit et qu'il est l'heure de dormir encore.

Tom aura juste besoin de se reposer après ce voyage et ces émotions fortes. L'avocat sera presque fier de lui proposer une gélule de méthadone. Il n'est pas facile de se procurer de la méthadone, surtout des gélules de quarante milligrammes. L'avocat est vraiment *très fort*. « Tu as une sale tête, tu veux quelque chose qui te redonnera le sourire ? » Et Tom dira oui sans réfléchir, sans penser que l'avocat ne lui avait jamais proposé de médicaments auparavant. Michael C. a pris du galon depuis la cure de désintoxication de la blonde, cela

Tom l'ignore. Tom tendra la main. « Tu n'as qu'à prendre l'autre lit. » Il y a un lit d'appoint dans la vaste chambre de la parturiente. « Non merci, je serai très bien dans le fauteuil. » Tom aura du mal à articuler, sentira sa mâchoire se crisper.

Le calme régnera dans la clinique, au loin, au fond du couloir, si l'on tend l'oreille, on percevra les vagissements d'un nouveau-né. La blonde et l'avocat se seront bien vite rendormis. Tom sera parcouru d'un frisson. Dans son berceau en plastique transparent, bébé Scarlett remuera imperceptiblement les paupières. Tom aura soudain envie d'être pareil à ce petit bébé, il sera attiré par sa mère, par les seins de sa mère. La sensation sera irrésistible. Mû par une force, presque dans un élan, Tom arrivera à se lever de son fauteuil et titubera jusqu'au lit de la blonde. Là, il se recroquevillera tout contre elle, une dernière fois. *Oh, ma citrouille adorée.*

La blonde, dans les vapes d'un premier sommeil, serrera son fils avec tendresse. Des images de Bali, quand elle le séchait dans une grande serviette-éponge, comme il faisait beau et chaud, se superposeront à d'autres, plus anciennes. Elle se reverra, quand elle dansait *Chez Gigi*, son épuisement après une nuit de déhanchés, quand elle renfilait son jean et son vieux sweat-shirt, elle extrayait son petit

Tom de la pile de vêtements de gala qui lui servait de lit ; elle entendra son fils qui murmurait à son oreille « *je t'aime, ma maman* » et elle sentira ses petits bras d'enfant de cinq ans qui s'enroulaient autour de son cou de toutes leurs forces. Elle reverra sa tête blonde magnifique qui roulait sur le côté sur le siège-auto sitôt installé, comme elle était heureuse de veiller sur son fils endormi. Elle verra Tom, quand il n'était pas plus grand que bébé Scarlett, les deux bébés se confondront dans son merveilleux rêve, et elle embrassera les cheveux de soie. *Moi aussi, je t'aime, mon trésor.*

## 14.

La blonde ne se remettra jamais de la mort de Tom, la mort de son fils, dans ses bras, par overdose médicamenteuse, la nuit où elle a donné la vie à une petite fille.

Les journalistes postés à la sortie de clinique, « Et qui est le père, Vickie ? Pourquoi avez-vous voulu accoucher aux Bahamas ? Est-il vrai que vous êtes ruinée ? », les paparazzis venus capturer la blonde les traits tirés, le bébé dans une couverture rose et l'avocat portant la valise, « Vickie, par ici ! Un sourire, s'il vous plaît, Vickie ! Un sourire, monsieur Kudrow ! », tous restèrent sans voix quand ils apprirent le décès de Tom, l'enfant chéri, l'ado ténébreux du *Vickie Show*. Celui qui semblait si sérieux ? Mort d'une overdose ? Comment est-ce possible ? L'autopsie révéla simplement que l'association Lexapro, Zoloft et méthadone est létale. Tom avait tant vu sa mère mélanger les médicaments, lui-même pratiquant l'art du cocktail depuis de nombreuses années, qu'il avait fini par oublier qu'on pouvait en mourir.

L'avocat ressortit de l'hôpital, seul, avec un bébé dans un couffin. La blonde, folle de douleur, avait été internée et placée sous camisole chimique quelques heures seulement après l'annonce du décès. C'était la seule solution.

Les hurlements de louve de la mère alors que les docteurs tentaient de le réanimer. « Sauvez-le ! Sauvez-le ! » Les cris enragés de la mère avaient résonné dans les couloirs de toute la clinique. « Tom ! Tom ! Réponds-moi, réponds à maman ! » Les appels rugissants de la mère, « prenez-moi *moi*, pas lui ! ». La violence avec laquelle elle s'agrippait aux blouses blanches, comme si elle pouvait les forcer à faire jaillir la vie du corps blême de son fils. « Par pitié, je vous en supplie, pas Tommy, pas mon petit. Prenez-moi à sa place ! » Ils avaient tenté de l'écarter, elle s'était débattue dans des sanglots hystériques, « prenez l'autre bébé, prenez ma fille, je vous la donne ! Mais rendez-moi mon Tommy ! ». *Folle de douleur*. Les témoins de cette scène raconteraient qu'ils n'avaient jamais vu de souffrance plus déchirante.

Les mois qui suivirent furent chaotiques. Bébé Scarlett fut confiée à sa nounou. Le père, dépassé par les événements et par l'ampleur du mal de la blonde, fuyait le contact du nourrisson. Il se rendait aux Bahamas le moins souvent possible, travaillait beaucoup, passait son temps entre New York et Los Angeles, envoyait de l'argent pour payer les factures.

La blonde est entourée d'un personnel nombreux. Depuis la mort de Tom, par trois fois elle a réussi à échapper à sa surveillance pour tenter de mettre fin à ses jours. Elle ne doit pas rester cinq minutes seule, même si elle est bourrée de médicaments. Quand le jardinier l'a retrouvée flottant sur le dos à moitié inconsciente au beau milieu de la piscine, personne n'aurait pu dire si c'était un accident car elle était trop défoncée pour pouvoir nager ou si elle était entrée dans l'eau dans le but de se noyer. Le jardinier l'avait repêchée et remise au lit, à peine séchée. Elle faisait vraiment peine à voir.

Michael C. Kudrow a donné comme consigne à la nounou de présenter bébé Scarlett à sa mère une fois par jour. Il arrive que la blonde regarde la petite fille de longues minutes avant de demander d'un air triste « à qui est ce joli bébé ? ».

Dans la grande maison, hagarde, elle laisse traîner ses pieds sur le sol en marbre blanc, doux et glacé. Elle a perdu tout espoir. Autour d'elle, elle entend les gens chuchoter, comme s'ils craignaient de réveiller les papillons noirs de son chagrin, elle distingue le cliquetis de clefs que l'on tourne dans une serrure, le bruit de l'arrosage automatique qui s'enclenche dans un tic suivi de la pulsation régulière du jet d'eau, pareille à un métronome, elle perçoit, en bas, dans la cuisine, les casseroles et les poêles qui s'entrechoquent. On lui apporte son repas sur un plateau. Allongée sur son lit, elle reste hébétée devant la grande télévision. Les animateurs sont ses amis, il fut un temps où elle était persuadée de cela. Elle s'endort, bercée par les voix de John Springfeld et Richard Price. Mais les grimaces des animateurs ne la font plus rire. À peine si elle comprend de quoi il s'agit. Le spectacle, les paillettes, les spots, les annonces tonitruantes et les applaudissements bercent encore son imaginaire, mais comme une nébuleuse étrange où elle se perd. Puis la nuit vient, la maison est endormie. Elle voit le corps de son fils, dessine du bout du doigt le contour de Tommy bébé, Tommy à cinq ans, Tommy à onze ans, Tommy à quatorze ans. Elle le fait grandir au creux de son ventre, enroule les draps froissés, forme une boule qu'elle serre de toutes ses forces contre sa poitrine et soudain, Tom a vingt-deux ans, elle ne sait plus l'imaginer, les draps sont pleins de vide et elle gémit ou hurle selon que le chagrin ou la fureur l'emportent. Elle fait beaucoup de cauchemars, mais le pire reste encore de s'éveiller, car alors elle comprend qu'elle a aussi perdu son fils dans la réalité. Les médicaments ne l'assomment pas assez, il lui reste des moments de lucidité où elle a l'impression d'avoir été écorchée vive.

Un jour, elle demande à l'avocat qui a réponse à tout, qui est *très fort*, quel mot désigne une mère ayant perdu son enfant. « On parle d'*orphelin* pour les enfants qui ont perdu leurs parents, on dit *veuve* ou *veuf* pour celle ou celui qui a perdu son conjoint, mais pour moi ? Pour moi, il n'y a rien ? » L'avocat hoche la tête lourdement. Aucun mot n'existe pour penser la douleur de la blonde.

Les mois passent et ses yeux naguère si bleus sont devenus vitreux. Bébé Scarlett grandit, elle fait ses premiers sourires dans l'indifférence générale. Sa nounou est une brave femme, mais elle n'a pas été payée depuis trois mois et elle s'en ira s'ils pensent qu'ils peuvent l'exploiter, cet avocat et cette loque blondasse. Bébé Scarlett a six mois et son père la regarde se traîner sur les fesses, glisser sur le ventre et se tenir assise avec son petit dos bien droit. Il se demande ce qu'il va bien pouvoir faire de ce mioche et de sa mère. En attendant, la blonde doit encore signer des papiers, car ils vont faire l'acquisition d'un bateau. Un petit bateau cigarette qui ira très vite, pour faire des sorties en mer. Aux Bahamas, tout le monde a un bateau ! La blonde n'aime pas les sorties en mer, la blonde veut rester dans son lit, mais c'est elle qui doit signer les papiers. Ils doivent prendre l'avion pour aller à Miami, en Floride, c'est là qu'aura lieu la vente.

« Ah, très bien, comme tu voudras.

— Il va falloir faire un effort, Vickie. »

Cette fois, plus de somnifères, mais des remontants puissants pour qu'elle tienne. Le voyage se fera dans le plus grand secret, la presse n'a pas été prévenue ; Kudrow n'a pas envie d'être filmé au bras de ce zombie, cela peut se comprendre. Bébé Scarlett restera aux Bahamas avec sa nounou. « Oui, on vous paiera à notre retour, promis. » La nurse se demande avec quel argent ils vont acheter un bateau, le chauffeur non plus n'est pas payé, depuis deux mois. Heureusement, lui fait les courses, il se sert au passage.

Et ça tombe mal. Le jour du départ, la blonde a la grippe. Une grippe terrible qui la cloue au lit avec quarante de fièvre. « Je me sens si faible. » On fait venir le docteur, il n'arrive même pas à lui prendre sa tension.

« Il lui faut du repos et qu'elle mange.

— Je n'ai pas faim, dit la blonde.

— Ça fait des mois qu'elle se plaint d'avoir la nausée », ajoute l'avocat.

Elle a beaucoup maigri, ses prothèses mammaires semblent plus difformes que jamais, elles ondulent sous sa peau comme de la tôle froissée, ses tétons, surtout, sont terriblement abîmés. Des croûtes se sont formées sur les cicatrices à certains endroits. De toute façon, la blonde ne se regarde plus, n'a pas la force de se tenir debout face à un miroir.

L'avocat est en colère, la vente doit se faire le lendemain. « Tu vas te bouger, Vickie. Ça suffit, pour une fois que je te demande de faire un effort. » Elle tente de se redresser. Elle a une fièvre de cheval. « Je suis vraiment malade, tout tourne devant mes yeux. Je ne suis pas une menteuse… »

L'avocat ne la laisse pas finir sa phrase, il a quitté la chambre. Il demande au chauffeur de l'aider à habiller la blonde. Elle les laisse faire. Toujours des *efforts*, à quoi bon ? Les deux hommes lui enfilent un survêtement et des lunettes noires qui dissimulent son visage au cas où quelqu'un la reconnaîtrait. L'avion va décoller, il faut y aller.

Dans la voiture, elle a des frissons partout. « Je n'ai pas dit au revoir à bébé Scarlett ! » L'avocat lui rit au nez. « Tiens, tu te souviens que tu as une fille ? Bah, c'est pas grave, tu lui diras bonjour la prochaine fois que tu la verras. Tu es peut-être contagieuse, il vaut mieux que tu ne refiles pas tes germes à la petite. » La blonde est prise de panique. « Quel médicament tu m'as donné ? Où est mon bébé ? Je veux mon bébé ! » Elle sanglote, elle est inconsolable. L'avocat tente de garder son calme.

« Il faut être raisonnable, Vickie. Je t'ai déjà expliqué, on ne fait que l'aller-retour pour Miami.

— Ah, oui ?

— Il y a à peine une heure de vol entre Nassau et Miami. Tiens-toi droite, Vickie, merde ! »

L'avocat n'en peut plus de ce mélodrame perpétuel. Elle souffre. « Donne-moi quelque chose, n'importe quoi. » Elle a froid, elle est glacée, elle est brûlante. Heureusement qu'il ne se déplace plus sans sa trousse à pharmacie.

Ils arrivent enfin à l'aéroport, enregistrent leurs bagages. S'ils reviennent demain, pourquoi avoir pris autant de valises ? La blonde ne pose pas de questions.

Dans l'avion, elle arrive à s'assoupir, sa tête sur l'épaule de l'avocat. « Merci, merci, de toujours si bien prendre soin de moi. » Kudrow ne lui répond pas.

Ils atterrissent à Miami, une voiture les attend pour les emmener à l'hôtel. Quelle heure est-il ? La blonde a sommeil, tellement sommeil, avec leur climatisation, elle est gelée. Ils arrivent dans la suite beige immaculée, elle s'affale sur le lit crème. L'avocat a des coups de fil à passer.

« Tu vas me laisser seule ?

— Ça ne capte pas dans la chambre, je reviens, mets-toi au lit. »

Elle veut qu'on la borde, sa mère lui manque. Plus tard, elle se relève, elle a perdu la notion du temps, va dans la salle de bains pour trouver de quoi se soulager car sa peau la brûle et la tire de partout. Elle se cogne contre le lavabo, elle est prise de nausée, crache une bile saumâtre, prend des gélules au hasard et retourne se coucher. Elle n'arrive pas à dormir, mais elle n'arrive plus à être éveillée. Elle est seule. L'avocat est parti. Elle a du mal à respirer, comme le vieux milliardaire, son rythme cardiaque ralentit, elle est en insuffisance respiratoire. Où est son père maintenant ? Une silhouette qui se découpe dans le noir. Elle a oublié la photo que lui avait montrée sa mère. Elle revient à ses imaginations d'enfant, celles où elle avait fini par associer son père à la Nuit, un être invisible à la lumière du jour, comme si c'était une possibilité *réelle*. Elle fouille sa mémoire, cherche son visage en vain. Elle lui prête les traits de sa mère, avec une barbe, elle lui prête le visage de son vieux milliardaire, quand il était blotti contre ses seins. Elle revoit Tommy lové contre elle, encore chaud. Ses seins sont si gros, mon Dieu, elle peut réchauffer tous les hommes d'Amérique ! Les yeux des hommes, comme ils brillaient quand elle dansait avec ses amies, avec ses *sœurs* de champagne, leurs rires et leurs strings argentés et tous ces dollars, ces dollars par poignées, leur jeunesse et leur insouciance et Tommy, quand il comptait les billets dans les loges. Elle revoit les filles embrasser Tom et le prendre sur leurs genoux en piaillant. Qu'est-elle devenue ? Une femme seule qui grelotte dans une chambre d'hôtel silencieuse.

*Laisse-moi partir. Toi qui as été une maman, qui as perdu un fils, comme moi, laisse-moi partir, laisse-moi rejoindre mon petit, je sais qu'il a froid dans les nuages, il avait toujours froid enfant, il a besoin de mes seins pour se réchauffer. Regarde, je suis brûlante, laisse-moi partir au ciel, je montrerai mes seins à tous les anges pour les amuser, je suis une bonne fille, tu sais.*

Dès qu'elle avait su qu'elle était enceinte, elle avait désiré l'être. Elle foutait sa vie en l'air, avait dit sa mère. Elle foutait leur vie en l'air, avait dit l'avocat. De quelle vie parlait-on ? Depuis des années, Vickie assistait, spectatrice, à son reflet se mouvant dans la glace, à son corps changer. Ses tétons s'étaient durcis et ses seins avaient pointé sous ses tee-shirts d'adolescente, ses hanches s'étaient élargies, mais jamais elle ne s'était appartenu.

La fièvre a transformé son thorax en brasier ardent. Des frissons la parcourent des pieds à la tête. Combien de fois Doc Cary a-t-il taillé dans sa chair ? A-t-elle entendu des bruits de pas ? C'est Michael C. Kudrow, c'est son avocat. Il s'approche du lit, en silence et, tout doucement, retire les draps. Muet devant le spectacle de la blonde nue, devant ses longues jambes et sa petite tête de poupée qui n'a jamais su dire non, il hésite, se penche. Alors, il pose une main sur la poitrine meurtrie et attend qu'elle se soulève.

## Remerciements

Aux docteurs Louis Brasseur, Aziz Karaa et Françoise Firmin, pour avoir pris le temps d'ausculter, de diagnostiquer et d'opérer ma blonde de papier.

À Delphine Mozin Santucci.

*Composition et mise en pages*
*Nord Compo à Villeneuve-d'Ascq*

*Impression réalisée par*

La Flèche
en décembre 2015

Dépôt légal : décembre 2015
N° d'impression : 3014789
*Imprimé en France*